사고력 GO!

GO! 매쓰

Run-A
교과서 사고력

수학 3-2

구성과 특징

1주차 교과 집중 학습

1 교과서 개념 완성

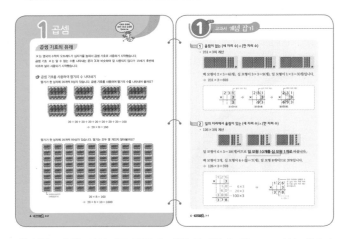

재미있는 수학 이야기로 단원에 대한 흥미를 높이고, 교과서 개념과 기본 문제를 학습합니다.

2 교과서 개념 PLAY

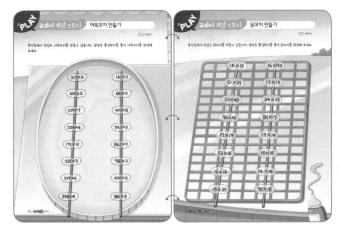

게임으로 개념을 학습하면서 집중력을 높여 쉽게 개념을 익히고 기본을 탄탄하게 만듭니다.

3 문제 풀이로 실력 & 자신감 UP!

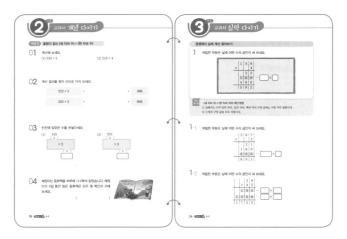

한 단계 더 나아간 교과서와 익힘 문제로 개념을 완성하고, 다양한 문제 유형으로 응용력을 키웁니다.

4 서술형 문제 풀이

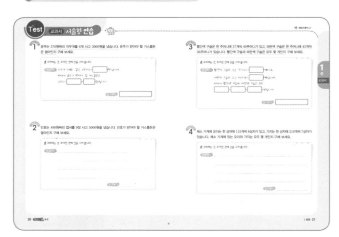

시험에 잘 나오는 서술형 문제 중심으로 단계별로 풀이하는 연습을 하여 서술하는 힘을 높여 줍니다.

교과 + 사고력

2주에 한 단원 완성!

2 주차 사고력 확장 학습

1 사고력 PLAY

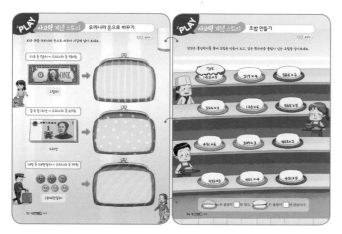

교과 심화 문제와 사고력 문제를 게임으로 쉽게 접근하여 어려운 문제에 대한 거부감을 낮추고 집중력을 높입니다.

2 교과 사고력 잡기

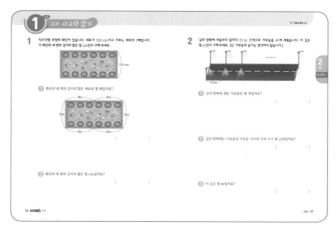

문제에 필요한 요소를 찾아 단계별로 해결하면서 문제 해결력을 키울 수 있는 힘을 기릅니다.

3 교과 사고력 확장+완성

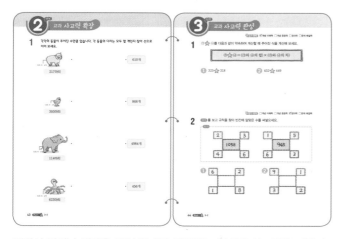

틀에서 벗어난 생각을 하여 문제를 해결하는 창의적 사고력을 기를 수 있는 힘을 기릅니다.

4 종합평가 / 특강

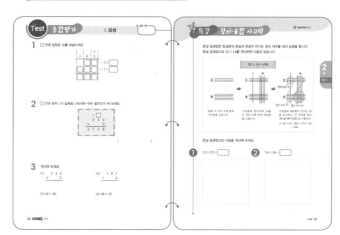

교과 학습과 사고력 학습을 얼마나 잘 이해하였는지 평가하여 배운 내용을 정리합니다.

1 곱셈

단원과 관련된 곱셈 기호의 유래를 살펴보아요.

곱셈 기호의 유래

✕는 영국의 수학자 오트레드가 십자가를 눕혀서 곱셈 기호로 사용하기 시작했습니다.
곱셈 기호 ✕는 알 수 없는 수를 나타내는 문자 X와 비슷하여 잘 사용되지 않다가 19세기 후반에 이르러 널리 사용되기 시작했습니다.

☆ 곱셈 기호를 사용하여 딸기의 수 나타내기

딸기가 한 상자에 20개씩 8상자 있습니다. 곱셈 기호를 사용하여 딸기의 수를 나타내어 볼까요?

$$20+20+20+20+20+20+20+20=160$$

➡ $20 \times 8 = 160$

딸기가 한 상자에 20개씩 80상자 있습니다. 딸기는 모두 몇 개인지 알아볼까요?

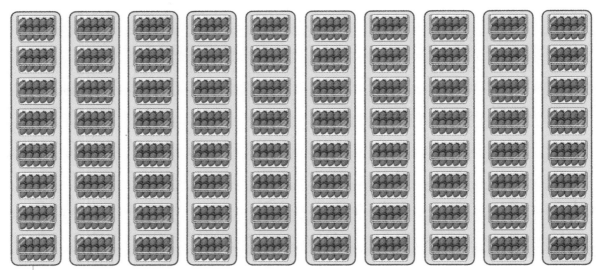

20개씩 8상자가 10묶음입니다.

$20 \times 8 = 160$

➡ $20 \times 8 \times 10 = 1600$

🎓 수 모형이 모두 몇 개인지 알맞은 수를 찾아 선으로 이어 보세요.

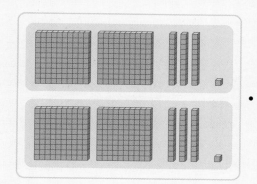

·

· 284

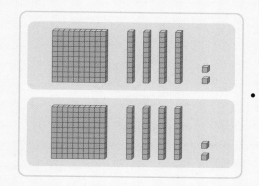

·

· 462

🎓 달걀이 한 판에 10개씩 20판 있습니다. 달걀은 모두 몇 개인지 알아보세요.

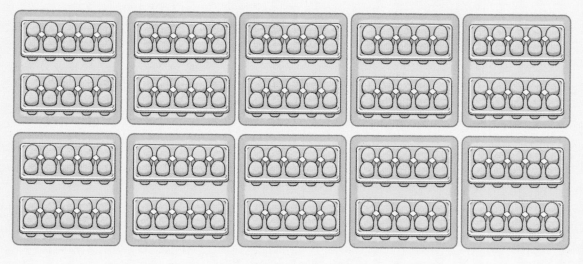

$$10 \times 2 = 20$$

➡ $10 \times 20 = \boxed{}$

개념 1 올림이 없는 (세 자리 수) × (한 자리 수)

- 231 × 3의 계산

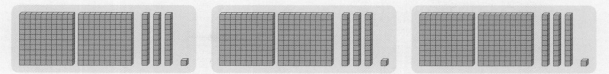

백 모형이 2×3=6(개), 십 모형이 3×3=9(개), 일 모형이 1×3=3(개)입니다.

➡ 231 × 3 = 693

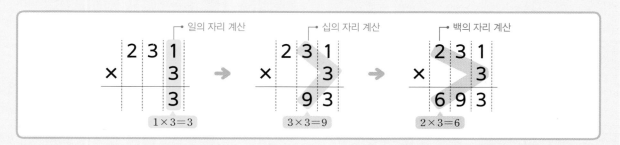

개념 2 일의 자리에서 올림이 있는 (세 자리 수) × (한 자리 수)

- 126 × 3의 계산

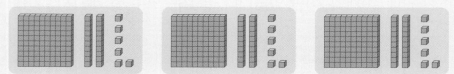

일 모형이 6×3=18(개)이므로 **일 모형 10개를 십 모형 1개로** 바꿉니다.

백 모형이 3개, 십 모형이 6+①=7(개), 일 모형 8개이므로 378입니다.

➡ 126 × 3 = 378

```
    1 2 6
  ×     3
─────────
    1 8  … 6×3
    6 0  … 20×3
  3 0 0  …100×3
─────────
  3 7 8
```

➡

```
      1
    1 2 6
  ×     3
─────────
  3 7 8
```
└ 2×3=6,
  6+1=7

1 → 일의 자리에서 올림한 수는 십의 자리 위에 작게 쓴 다음 십의 자리 계산에 더합니다.

1-1 수 모형을 보고 ☐ 안에 알맞은 수를 써넣으세요.

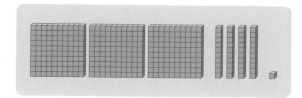 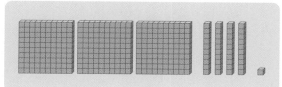

$$341 \times 2 = \boxed{}$$

1-2 계산해 보세요.

(1)
```
    1 3 2
  ×     3
```

(2)
```
    2 4 3
  ×     2
```

2-1 ☐ 안에 알맞은 수를 써넣으세요.

(1)
```
      4 3 7
  ×       2
```

(2)
```
      1 2 8
  ×       3
```

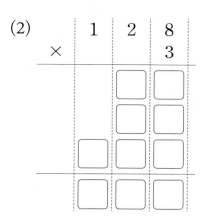

2-2 계산해 보세요.

(1)
```
    2 2 4
  ×     3
```

(2)
```
    2 1 9
  ×     4
```

개념 3 십의 자리에서 올림이 있는 (세 자리 수) × (한 자리 수)

• 263×2의 계산

수 모형으로 알아보면,

십 모형이 $6 \times 2 = 12$(개)이므로 **십 모형 10개를 백 모형 1개로** 바꿉니다.

백 모형이 $4 + 1 = 5$(개), 십 모형이 2개, 일 모형이 6개이므로 526입니다.
$$\underset{2 \times 2 = 4}{} \qquad \underset{3 \times 2 = 6}{}$$

➡ $263 \times 2 = 526$

$$
\begin{array}{r}
2\ 6\ 3 \\
\times \qquad 2 \\
\hline
6 \quad \cdots \quad 3 \times 2 \\
1\ 2\ 0 \quad \cdots \quad 60 \times 2 \\
4\ 0\ 0 \quad \cdots \quad 200 \times 2 \\
\hline
5\ 2\ 6
\end{array}
\qquad\Rightarrow\qquad
\begin{array}{r}
\overset{1}{}\\
2\ 6\ 3 \\
\times \qquad 2 \\
\hline
5\ 2\ 6
\end{array}
$$

1 → 십의 자리에서 올림한 수는 백의 자리 위에 작게 쓴 다음 백의 자리 계산에 더합니다.

$\underset{2 \times 2 = 4,\ 4 + 1 = 5}{}$

개념 4 십의 자리, 백의 자리에서 올림이 있는 (세 자리 수) × (한 자리 수)

• 451×3의 계산

수 모형으로 알아보면,

십 모형이 $5 \times 3 = 15$(개)이므로 **십 모형 10개를 백 모형 1개로** 바꿉니다.

백 모형이 $12 + 1 = 13$(개)이므로 **백 모형 10개를 천 모형 1개로** 바꿉니다.
$$\underset{4 \times 3 = 12}{}$$

천 모형이 1개, 백 모형이 3개, 십 모형이 5개, 일 모형이 3개이므로 1353입니다.

➡ $451 \times 3 = 1353$

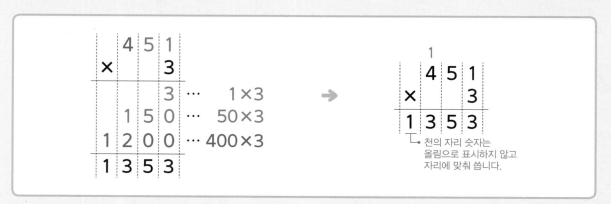

$$
\begin{array}{r}
4\ 5\ 1 \\
\times \qquad 3 \\
\hline
3 \quad \cdots \quad 1 \times 3 \\
1\ 5\ 0 \quad \cdots \quad 50 \times 3 \\
1\ 2\ 0\ 0 \quad \cdots \quad 400 \times 3 \\
\hline
1\ 3\ 5\ 3
\end{array}
\qquad\Rightarrow\qquad
\begin{array}{r}
\overset{1}{}\\
4\ 5\ 1 \\
\times \qquad 3 \\
\hline
1\ 3\ 5\ 3
\end{array}
$$

천의 자리 숫자는 올림으로 표시하지 않고 자리에 맞춰 씁니다.

개념 확인 문제

3-1 □ 안에 알맞은 수를 써넣으세요.

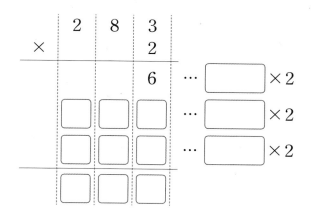

3-2 계산해 보세요.

(1)
```
    2 6 2
  ×     3
```

(2)
```
    1 7 0
  ×     4
```

4-1 수 모형을 보고 □ 안에 알맞은 수를 써넣으세요.

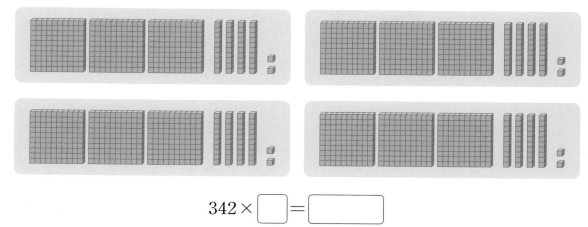

$$342 \times \boxed{} = \boxed{}$$

4-2 계산해 보세요.

(1)
```
    7 5 4
  ×     2
```

(2)
```
    6 3 1
  ×     6
```

개념 **5** (몇십)×(몇십), (몇십몇)×(몇십)

* 40×20의 계산

$$40 \times 20 = 40 \times 2 \times 10$$
$$= 80 \times 10$$
$$= 800$$

$$40 \times 20 = 4 \times 2 \times 10 \times 10$$
$$= 8 \times 100$$
$$= 800$$

$$\begin{array}{r} 4\ 0 \\ \times\ 2\ 0 \\ \hline 8\ 0\ 0 \end{array}$$

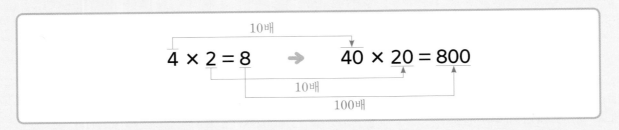

$$4 \times 2 = 8 \quad \rightarrow \quad 40 \times 20 = 800$$

10배 / 10배 / 100배

* 26×20의 계산

$$26 \times 20 = 26 \times 10 \times 2$$
$$= 260 \times 2$$
$$= 520$$

$$26 \times 20 = 26 \times 2 \times 10$$
$$= 52 \times 10$$
$$= 520$$

$$\begin{array}{r} 2\ 6 \\ \times\ 2\ 0 \\ \hline 5\ 2\ 0 \end{array}$$

$$26 \times 2 = 52 \quad \rightarrow \quad 26 \times 20 = 520$$

10배 / 10배

개념 **6** (몇)×(몇십몇)

* 9×23의 계산

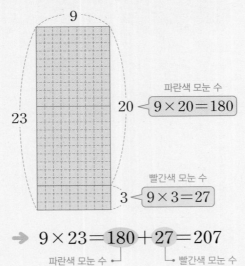

파란색 모눈 수
20 $9 \times 20 = 180$

빨간색 모눈 수
3 $9 \times 3 = 27$

→ $9 \times 23 = 180 + 27 = 207$

파란색 모눈 수 ⌐ ∟ 빨간색 모눈 수

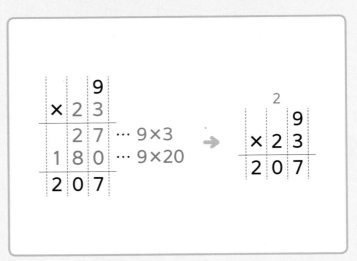

$$\begin{array}{r} 9 \\ \times\ 2\ 3 \\ \hline 2\ 7 \\ 1\ 8\ 0 \\ \hline 2\ 0\ 7 \end{array}$$
… 9×3
… 9×20

→

$$\begin{array}{r} 2 \\ 9 \\ \times\ 2\ 3 \\ \hline 2\ 0\ 7 \end{array}$$

개념 확인 문제

5-1 □ 안에 알맞은 수를 써넣으세요.

(1) $30 \times 50 = \boxed{}\,00$

(2) $13 \times 40 = \boxed{}\,0$

5-2 계산해 보세요.

(1)
$$\begin{array}{r} 8\ 0 \\ \times\ 4\ 0 \\ \hline \end{array}$$

(2)
$$\begin{array}{r} 6\ 3 \\ \times\ 5\ 0 \\ \hline \end{array}$$

6-1 □ 안에 알맞은 수를 써넣으세요.

(1)
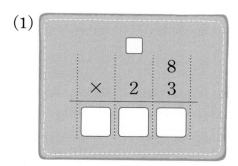

(2)
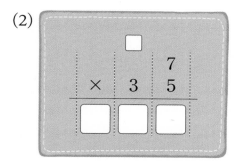

6-2 계산해 보세요.

(1) 5×21

(2) 8×23

개념 7 올림이 한 번 있는 (몇십몇)×(몇십몇)

- 17×15의 계산

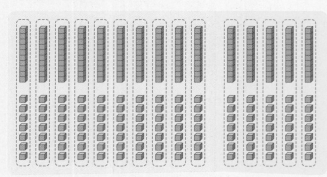

$$17 \times 10 = 170$$
$$17 \times \ 5 = \ \ 85$$
$$17 \times 15 = 255$$

17×15는 17×10과 17×5의 합과 같아요.

$$
\begin{array}{r}
1\ 7 \\
\times\ 1\ 5 \\
\end{array}
\ \rightarrow\
\begin{array}{r}
^3\ \ \ \\
1\ 7 \\
\times\ 1\ 5 \\
\hline
8\ 5 \\
\end{array}
\ \rightarrow\
\begin{array}{r}
1\ 7 \\
\times\ 1\ 5 \\
\hline
8\ 5 \\
1\ 7\ 0 \\
\end{array}
\ \rightarrow\
\begin{array}{r}
1\ 7 \\
\times\ 1\ 5 \\
\hline
8\ 5 \ \cdots 17\times5 \\
1\ 7\ 0 \ \cdots 17\times10 \\
\hline
2\ 5\ 5 \\
\end{array}
$$

개념 8 올림이 여러 번 있는 (몇십몇)×(몇십몇)

- 46×24의 계산

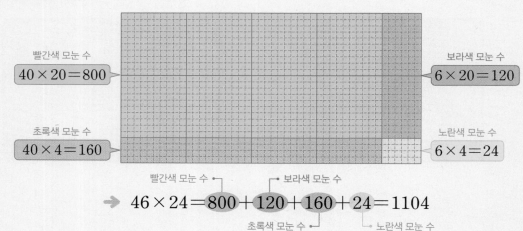

빨간색 모눈 수
$$40 \times 20 = 800$$

보라색 모눈 수
$$6 \times 20 = 120$$

초록색 모눈 수
$$40 \times 4 = 160$$

노란색 모눈 수
$$6 \times 4 = 24$$

빨간색 모눈 수 　　　보라색 모눈 수

→ $46 \times 24 = 800 + 120 + 160 + 24 = 1104$

초록색 모눈 수 　　　노란색 모눈 수

$$
\begin{array}{r}
4\ 6 \\
\times\ 2\ 4 \\
\end{array}
\ \rightarrow\
\begin{array}{r}
^2\ \ \ \\
4\ 6 \\
\times\ 2\ 4 \\
\hline
1\ 8\ 4 \\
\end{array}
\ \rightarrow\
\begin{array}{r}
4\ 6 \\
\times\ 2\ 4 \\
\hline
1\ 8\ 4 \\
9\ 2\ 0 \\
\end{array}
\ \rightarrow\
\begin{array}{r}
4\ 6 \\
\times\ 2\ 4 \\
\hline
1\ 8\ 4 \ \cdots 46\times4 \\
9\ 2\ 0 \ \cdots 46\times20 \\
\hline
1\ 1\ 0\ 4 \\
\end{array}
$$

개념 확인 문제

7-1 □ 안에 알맞은 수를 써넣으세요.

$$24 \times 13$$
$$= 24 \times 10 + 24 \times 3$$
$$= \boxed{} + \boxed{}$$
$$= \boxed{}$$

$$\begin{array}{r} \times \ \ 2\ \ 4 \\ 1\ \ 3 \\ \hline \boxed{}\ \boxed{} \\ \boxed{}\ \boxed{}\ \boxed{} \\ \boxed{}\ \boxed{}\ \boxed{} \end{array}$$

7-2 계산해 보세요.

(1)
$$\begin{array}{r} 4\ 3 \\ \times\ 2\ 3 \\ \hline \end{array}$$

(2)
$$\begin{array}{r} 7\ 4 \\ \times\ 2\ 1 \\ \hline \end{array}$$

8-1 □ 안에 알맞은 수를 써넣으세요.

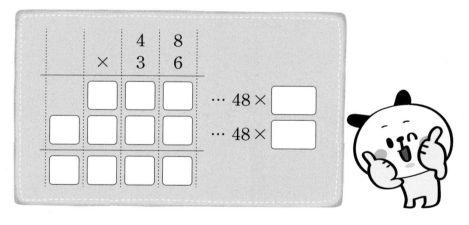

8-2 계산해 보세요.

(1)
$$\begin{array}{r} 2\ 5 \\ \times\ 2\ 5 \\ \hline \end{array}$$

(2)
$$\begin{array}{r} 7\ 3 \\ \times\ 2\ 8 \\ \hline \end{array}$$

분식집에서 맛있는 어묵꼬치를 만들고 있습니다. 알맞은 붙임딱지를 붙여 어묵꼬치를 완성해 보세요.

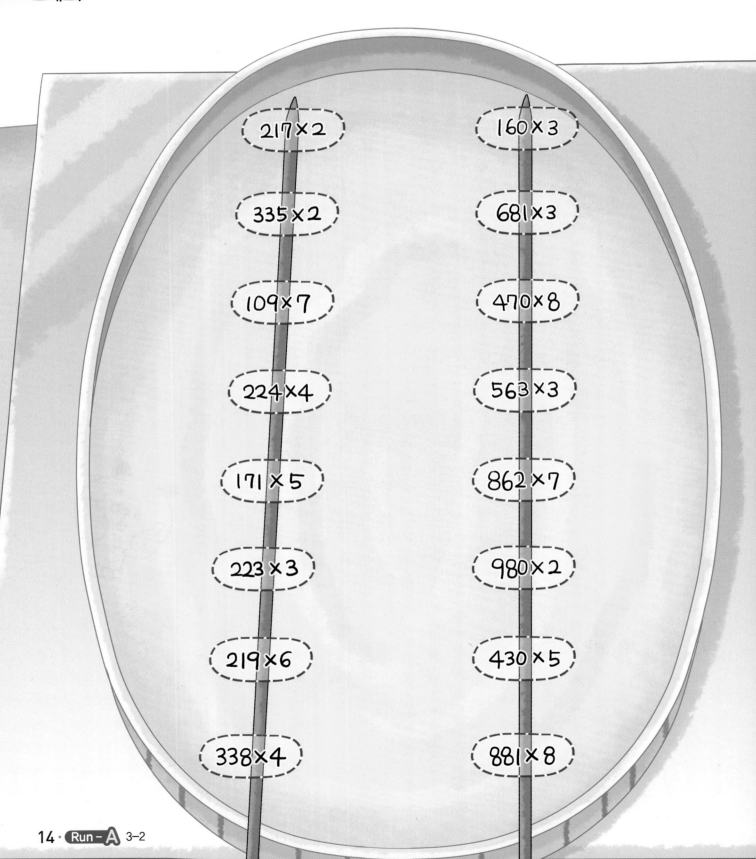

217×2 160×3

335×2 681×3

109×7 470×8

224×4 563×3

171×5 862×7

223×3 980×2

219×6 430×5

338×4 881×8

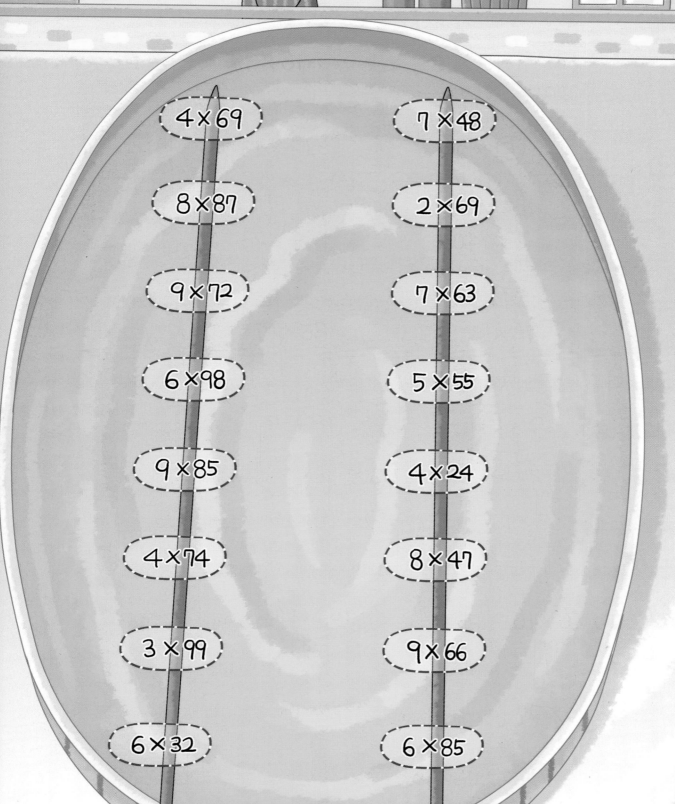

김밥 어묵 떡볶이 순대

4×69
8×87
9×72
6×98
9×85
4×74
3×99
6×32

7×48
2×69
7×63
5×55
4×24
8×47
9×66
6×85

준비물 붙임딱지

분식집에서 맛있는 닭꼬치를 만들고 있습니다. 알맞은 붙임딱지를 붙여 닭꼬치를 완성해 보세요.

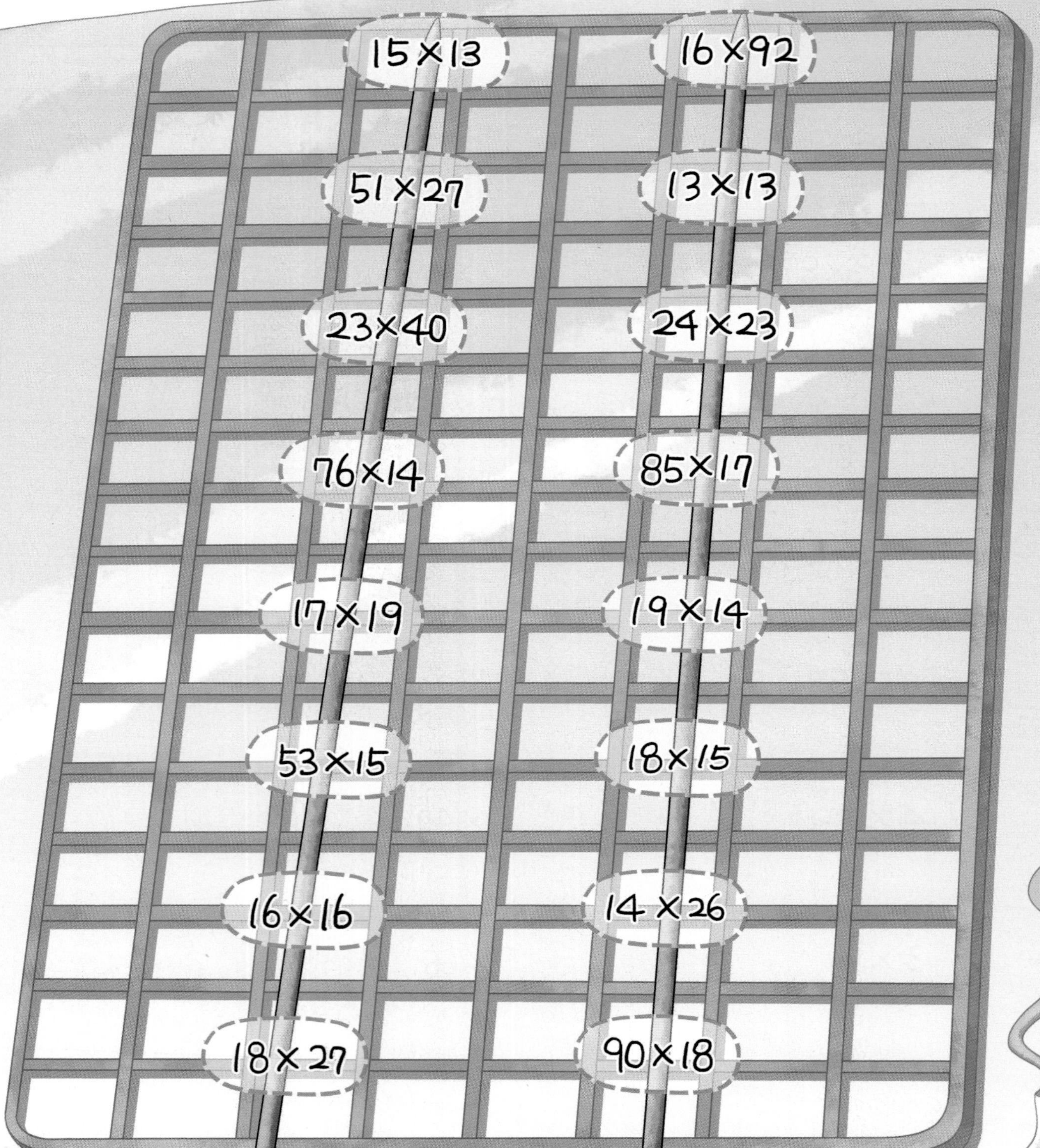

15×13

16×92

51×27

13×13

23×40

24×23

76×14

85×17

17×19

19×14

53×15

18×15

16×16

14×26

18×27

90×18

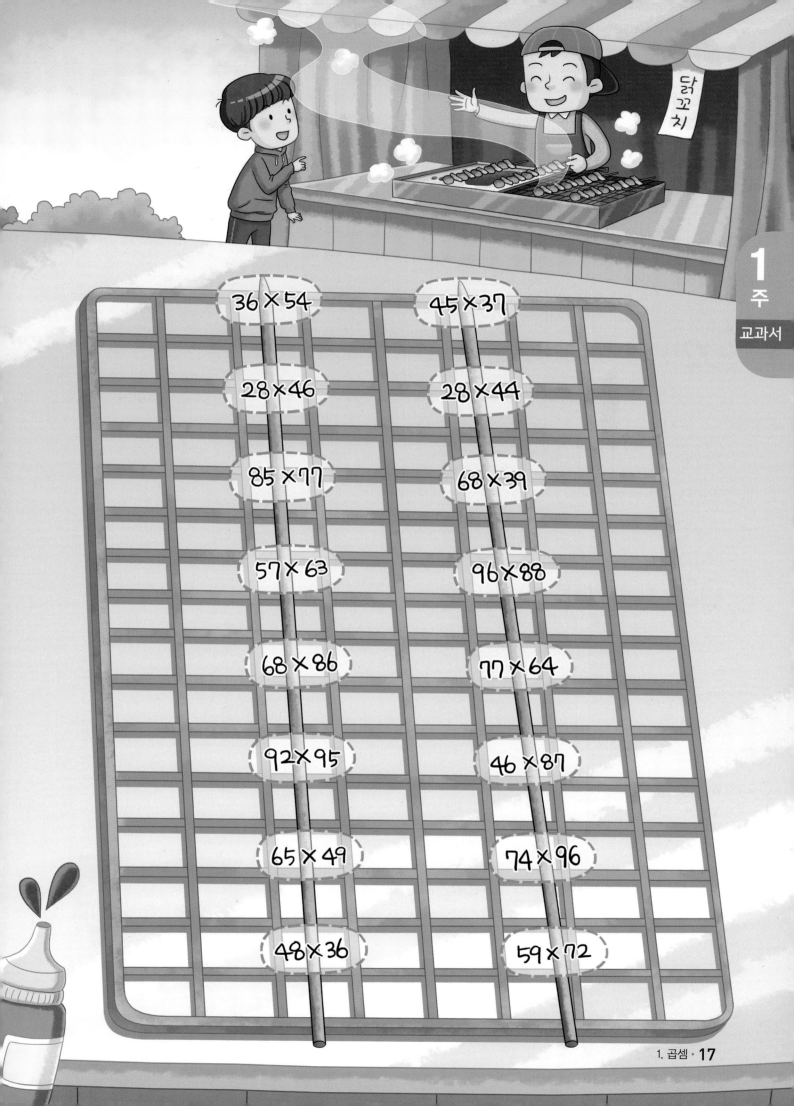

개념 1 올림이 없는 (세 자리 수)×(한 자리 수)

01 계산해 보세요.

(1) 320 × 3   (2) 210 × 4

02 계산 결과를 찾아 선으로 이어 보세요.

222 × 3	•		•	406
203 × 2	•		•	666

03 빈칸에 알맞은 수를 써넣으세요.

(1) 143
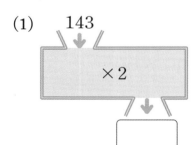

(2) 331
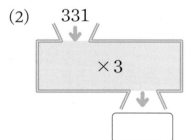

04 혜정이는 동화책을 하루에 112쪽씩 읽었습니다. 혜정이가 4일 동안 읽은 동화책은 모두 몇 쪽인지 구해 보세요.

(   )

개념 2 올림이 있는 (세 자리 수)×(한 자리 수)

05 계산해 보세요.

(1)
```
    3 2 4
  ×     3
```

(2)
```
    4 9 1
  ×     5
```

06 □ 안에 알맞은 수를 써넣으세요.

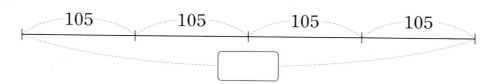

07 빈칸에 알맞은 수를 써넣으세요.

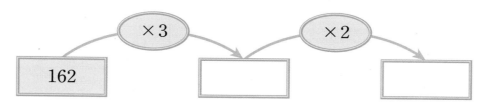

08 잘못 계산한 부분을 찾아 바르게 계산해 보세요.

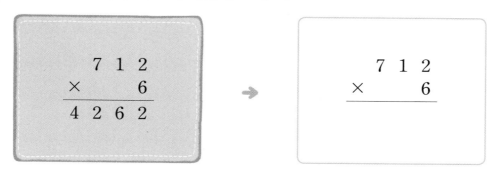

개념3 (몇십)×(몇십), (몇십몇)×(몇십)

09 계산해 보세요.

(1) 20×70

(2) 44×80

10 빈 곳에 두 수의 곱을 써넣으세요.

(1)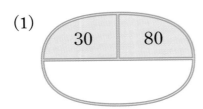

(2)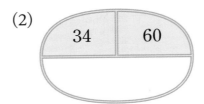

11 ㉠과 ㉡의 곱을 구해 보세요.

> ㉠ 10이 4개인 수　　　㉡ 10이 9개인 수

(　　　　　　　　　　　　)

12 저금통에 50원짜리 동전이 43개 있습니다. 저금통에 들어 있는 돈은 모두 얼마인지 구해 보세요.

(　　　　　　　　　)

개념 4 (몇)×(몇십몇)

13 □ 안에 알맞은 수를 써넣으세요.

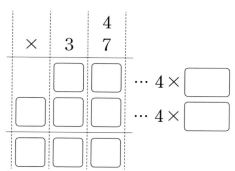

14 색칠한 부분은 실제 어떤 수의 곱인지를 찾아 ○표 하세요.

		7
×	6	2
	1	4
4	2	0
4	3	4

7 × 2	7 × 20	70 × 20
7 × 6	7 × 60	70 × 60

15 보기 와 같이 계산해 보세요.

보기

(1)
$$\begin{array}{r} 5 \\ \times\ 1\ 4 \\ \hline \end{array}$$

(2)
$$\begin{array}{r} 9 \\ \times\ 3\ 5 \\ \hline \end{array}$$

개념5 올림이 한 번 있는 (몇십몇)×(몇십몇)

16 □ 안에 알맞은 수를 써넣으세요.

(1)
```
      1  9
   ×  1  3
   ┌──┬──┐
   │  │  │
   ├──┼──┤
 │  │  │  │
   ├──┼──┤
 │  │  │  │
   └──┴──┘
```

(2)
```
      2  3
   ×  1  4
   ┌──┬──┐
   │  │  │
 │  │  │  │
   ├──┼──┤
 │  │  │  │
   └──┴──┘
```

17 잘못 계산한 부분을 찾아 바르게 계산해 보세요.

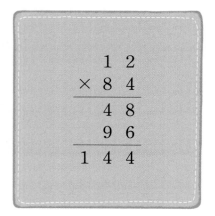 →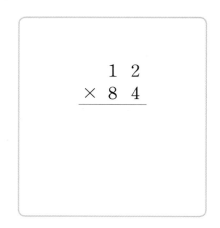

18 길이가 13 cm인 색 테이프 15장을 겹치지 않게 이었습니다. 색 테이프의 전체 길이는 몇 cm인지 구해 보세요.

13 cm 13 cm 13 cm 13 cm ......

(   )

개념 6 올림이 여러 번 있는 (몇십몇)×(몇십몇)

19 계산해 보세요.

(1)
$$\begin{array}{r} 2\ 6 \\ \times\ 5\ 2 \\ \hline \end{array}$$

(2)
$$\begin{array}{r} 4\ 5 \\ \times\ 3\ 3 \\ \hline \end{array}$$

20 다음 곱셈에서 색칠한 수끼리의 곱이 실제로 나타내는 값은 얼마인지 찾아 기호를 써 보세요.

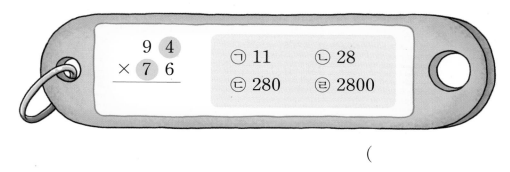

$$\begin{array}{r} 9\ 4 \\ \times\ 7\ 6 \\ \hline \end{array}$$

㉠ 11   ㉡ 28
㉢ 280   ㉣ 2800

(   )

21 빈칸에 알맞은 수를 써넣으세요.

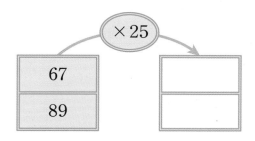

×25

| 67 |
| 89 |

22 학생들이 한 줄에 16명씩 24줄로 서 있습니다. 줄을 선 학생은 모두 몇 명인지 구해 보세요.

(   )

★ **곱셈에서 실제 계산 알아보기**

1 색칠한 부분은 실제 어떤 수의 곱인지 써 보세요.

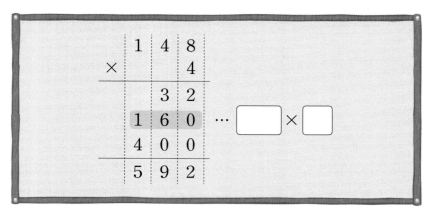

```
      1  4  8
   ×        4
      3  2
   1  6  0        …  □ × □
   4  0  0
   5  9  2
```

> **개념 피드백**
>
> • (세 자리 수) × (한 자리 수)의 계산 방법
> ① 곱해지는 수의 일의 자리, 십의 자리, 백의 자리 수와 곱하는 수를 각각 곱합니다.
> ② ①에서 구한 값을 모두 더합니다.

1-1 색칠한 부분은 실제 어떤 수의 곱인지 써 보세요.

```
      2  6  7
   ×        3
         2  1
      1  8  0
   6  0  0          …  □ × □
   8  0  1
```

1-2 색칠한 부분은 실제 어떤 수의 곱인지 써 보세요.

```
         3  9
   ×     4  5
      1  9  5        …  □ × □
   1  5  6  0        …  □ × □
   1  7  5  5
```

★ **계산 결과 비교하기**

1. 곱셈

2 계산해 보고, 계산 결과를 비교하여 ◯ 안에 >, =, <를 알맞게 써넣으세요.

$$\begin{array}{r} 6 \\ \times\ 3\ 7 \\ \hline \quad \end{array}$$ ◯ $$\begin{array}{r} 5 \\ \times\ 4\ 4 \\ \hline \quad \end{array}$$

개념 피드백 계산 결과를 비교하는 문제에서는 먼저 주어진 식을 계산해 봅니다.

2-1 계산 결과를 비교하여 ◯ 안에 >, =, <를 알맞게 써넣으세요.

(1) 5×49 ◯ 8×32

(2) 53×26 ◯ 71×34

2-2 계산 결과가 큰 것부터 차례로 기호를 써 보세요.

ㄱ 30×70 ㄴ 216×8
ㄷ 53×43 ㄹ 39×64

(   )

★ □ 안에 알맞은 수 구하기 (1)

3 □ 안에 알맞은 수를 써넣으세요.

(1)
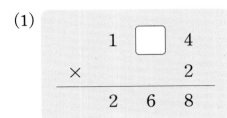

(2)

개념 피드백 (곱해지는 수의 일의 자리 수)×(곱하는 수), (곱해지는 수의 십의 자리 수)×(곱하는 수), (곱해지는 수의 백의 자리 수)×(곱하는 수)를 각각 계산하여 곱과 비교합니다.

3-1 □ 안에 알맞은 수를 구하려고 합니다. 물음에 답하세요.

$$
\begin{array}{r}
3\ 9\ \square \\
\times\ \ \ \ \ 4 \\
\hline
1\ 5\ 9\ 2
\end{array}
$$

(1) □ × 4의 계산 결과의 일의 자리 숫자가 2가 되는 □의 값을 모두 구해 보세요.

( )

(2) □ 안에 알맞은 수를 구해 보세요.

( )

3-2 □ 안에 알맞은 수를 써넣으세요.

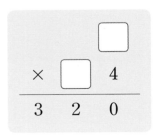

★ 바르게 계산한 값 구하기

4 어떤 수에 30을 곱해야 할 것을 잘못하여 더했더니 72가 되었습니다. 바르게 계산하면 얼마인지 구해 보세요.

답 _____

개념 피드백 · 바르게 계산한 값을 구하는 순서
① 잘못 계산한 식을 세웁니다.
② 잘못 계산한 식에서 어떤 수를 구합니다.
③ 어떤 수를 이용하여 바르게 계산합니다.

1 주

교과서

4-1 어떤 수에 29를 곱해야 할 것을 잘못하여 뺐더니 60이 되었습니다. 바르게 계산하면 얼마인지 구해 보세요.

(   )

4-2 538에 어떤 수를 곱해야 할 것을 잘못하여 더했더니 541이 되었습니다. 바르게 계산하면 얼마인지 구해 보세요.

(   )

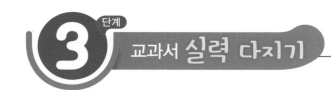

★ 수 카드로 곱셈식 만들기

5 주어진 수 카드 3장을 한 번씩 모두 사용하여 계산 결과가 가장 큰 곱셈식을 만들고 계산해 보세요.

개념
피드백

- 계산 결과가 가장 큰 (한 자리 수)×(두 자리 수) 만들기

주어진 수의 크기가 ①>②>③일 때 왼쪽과 같이 수를 놓아서 식을 만들면 계산 결과가 가장 큽니다.

5-1 주어진 수 카드 3장을 한 번씩 모두 사용하여 계산 결과가 가장 작은 곱셈식을 만들고 계산해 보세요.

5-2 주어진 수 카드 4장을 한 번씩 모두 사용하여 계산 결과가 가장 큰 곱셈식을 만들고 계산해 보세요.

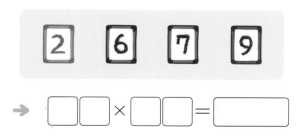

$$\boxed{}\boxed{} \times \boxed{}\boxed{} = \boxed{}$$

★ □ 안에 알맞은 수 구하기 (2)

6 □ 안에 들어갈 수 있는 수를 모두 찾아 ○표 하세요.

$$\square \times 37 > 250$$

(1 , 2 , 3 , 4 , 5 , 6 , 7 , 8 , 9)

개념 피드백 곱셈의 계산 결과를 비교하는 문제에서는 곱하는 수를 어림하여 계산하면 □ 안에 알맞은 수를 찾는 데 편리합니다.

6-1 □ 안에 들어갈 수 있는 수를 모두 찾아 ○표 하세요.

$$714 \times \square > 3000$$

(1 , 2 , 3 , 4 , 5 , 6 , 7 , 8 , 9)

6-2 □ 안에 들어갈 수 있는 수를 모두 찾아 ○표 하세요.

$$421 \times \square < 1300$$

(1 , 2 , 3 , 4 , 5 , 6 , 7 , 8 , 9)

1주 교과서

1 윤주는 370원짜리 지우개를 6개 사고 3000원을 냈습니다. 윤주가 받아야 할 거스름돈
은 얼마인지 구해 보세요.

✏ 구하려는 것, 주어진 것에 선을 그어 봅니다.

해결하기 지우개 6개의 값은 370×6=[   ](원)입니다.

따라서 윤주가 받아야 할 거스름돈은

3000-[   ]=[   ](원)입니다.

답 구하기 [   ]

2 민호는 490원짜리 엽서를 9장 사고 5000원을 냈습니다. 민호가 받아야 할 거스름돈은
얼마인지 구해 보세요.

✏ 구하려는 것, 주어진 것에 선을 그어 봅니다.

해결하기

_____

_____

_____

_____

답 구하기 _____

3 빨간색 구슬은 한 주머니에 37개씩 40주머니가 있고, 파란색 구슬은 한 주머니에 43개씩 36주머니가 있습니다. 빨간색 구슬과 파란색 구슬은 모두 몇 개인지 구해 보세요.

🖊 구하려는 것, 주어진 것에 선을 그어 봅니다.

해결하기 빨간색 구슬의 수는 37×40=☐(개)이고,

파란색 구슬의 수는 43×36=☐(개)입니다.

따라서 빨간색 구슬과 파란색 구슬은 모두

☐ + ☐ = ☐(개)입니다.

답 구하기 ☐

4 채소 가게에 오이는 한 상자에 115개씩 8상자가 있고, 가지는 한 상자에 219개씩 7상자가 있습니다. 채소 가게에 있는 오이와 가지는 모두 몇 개인지 구해 보세요.

🖊 구하려는 것, 주어진 것에 선을 그어 봅니다.

해결하기

답 구하기

준비물 ◀ 붙임딱지

외국 돈을 우리나라 돈으로 바꾸어 지갑에 넣어 보세요.

미국 돈 1달러 = 우리나라 돈 980원

2달러

중국 돈 1위안 = 우리나라 돈 169원

4위안

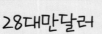

대만 돈 1대만달러 = 우리나라 돈 35원

28대만달러

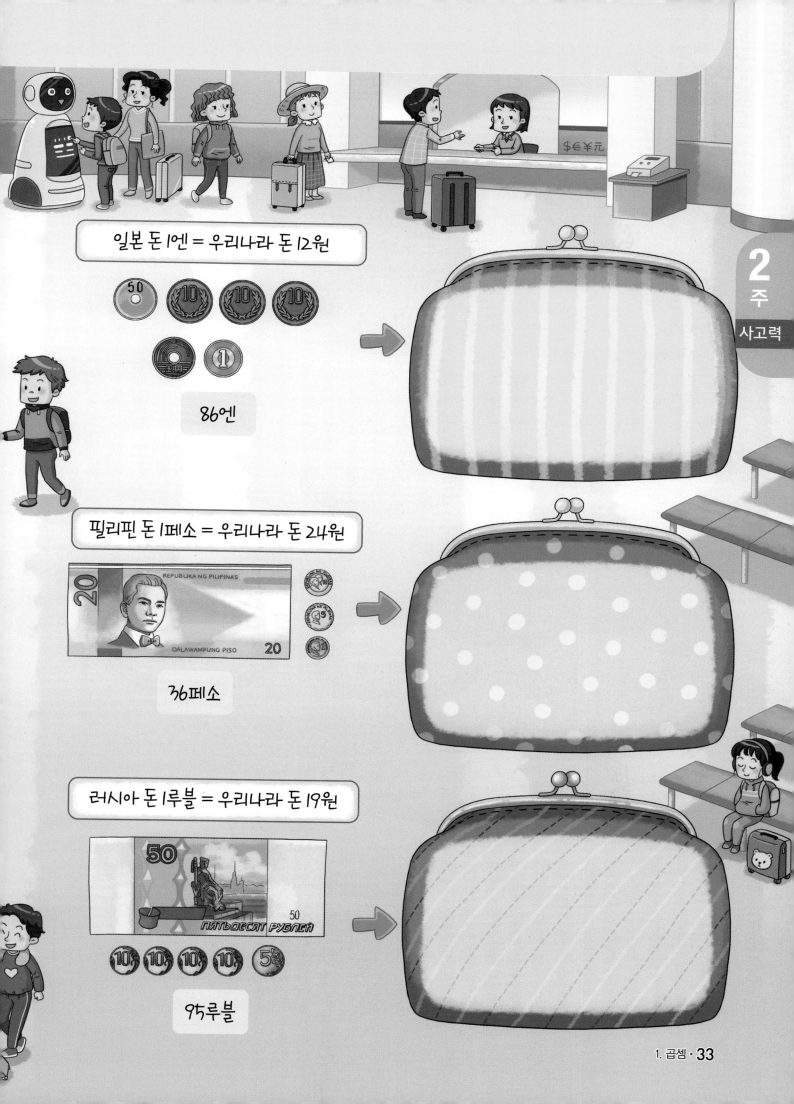

일본 돈 1엔 = 우리나라 돈 12원

86엔

필리핀 돈 1페소 = 우리나라 돈 24원

36페소

러시아 돈 1루블 = 우리나라 돈 19원

95루블

준비물 붙임딱지

알맞은 붙임딱지를 붙여 초밥을 만들어 보고, 같은 횟수만큼 올림이 있는 초밥을 알아보세요.

은 올림이 ☐ 번 있고, 은 올림이 ☐ 번 있습니다.

새우초밥　　　○○○　　　문어초밥　　　○○○
연어초밥　　　○○○　　　참치초밥　　　○○○
장어초밥　　　○○○　　　계란말이 초밥　　○○○

419 × 2　　　231 × 3　　　541 × 9

357 × 9　　　621 × 5　　　758 × 4

217 × 2　　　222 × 3　　　339 × 2

344 × 2　　　274 × 2　　　183 × 2

은 올림이 ☐ 번 있고, 은 올림이 ☐ 번 있습니다.

1 직사각형 모양의 화단이 있습니다. 세로가 235 cm이고 가로는 세로의 2배입니다. 이 화단의 네 변의 길이의 합은 몇 cm인지 구해 보세요.

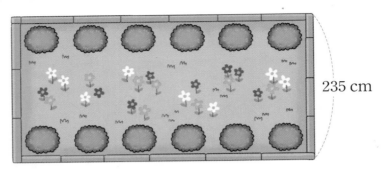

235 cm

1 화단의 네 변의 길이의 합은 세로의 몇 배일까요?

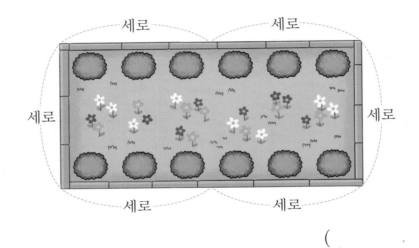

(   )

2 화단의 네 변의 길이의 합은 몇 cm일까요?

(   )

2 길의 양쪽에 처음부터 끝까지 25 m 간격으로 가로등을 40개 세웠습니다. 이 길은 몇 m인지 구해 보세요. (단, 가로등의 굵기는 생각하지 않습니다.)

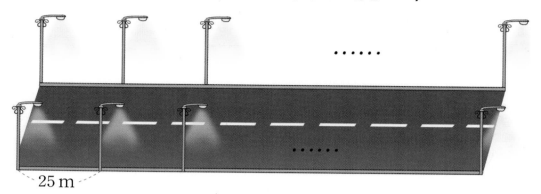

25 m

2 주

사고력

❶ 길의 한쪽에 세운 가로등은 몇 개일까요?

(   )

❷ 길의 한쪽에는 가로등과 가로등 사이의 간격 수가 몇 군데일까요?

(   )

❸ 이 길은 몇 m일까요?

(   )

3 길이가 20 cm인 색 테이프 30장을 4 cm씩 겹쳐서 이어 붙였습니다. 이어 붙인 색 테이프 전체의 길이는 몇 cm인지 구해 보세요.

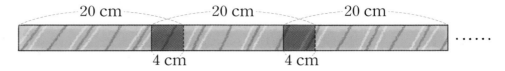

① 길이가 20 cm인 색 테이프 30장의 길이의 합은 몇 cm일까요?

( )

② 색 테이프가 겹친 부분은 몇 군데일까요?

( )

③ 겹친 부분의 길이의 합은 몇 cm일까요?

( )

④ 이어 붙인 색 테이프 전체의 길이는 몇 cm일까요?

( )

4 준영이와 친구들이 한 달 동안 50원짜리 동전을 모았습니다. 준영이와 친구들이 모은 돈은 모두 얼마인지 구해 보세요.

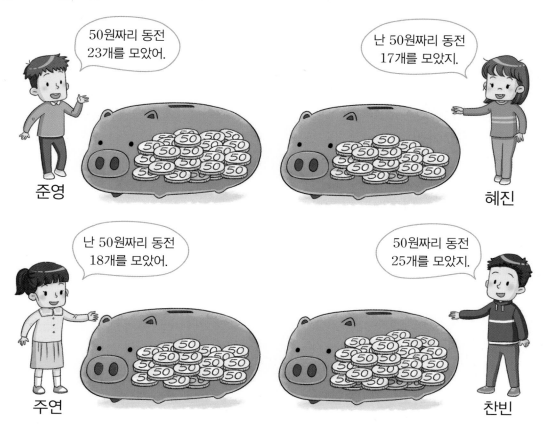

① 준영이와 친구들이 모은 50원짜리 동전은 모두 몇 개일까요?

( )

② 준영이와 친구들이 모은 돈은 모두 얼마일까요?

( )

1 각각의 동물이 주어진 수만큼 있습니다. 각 동물의 다리는 모두 몇 개인지 찾아 선으로 이어 보세요.

다리 수: 4개
217마리

610개

다리 수: 2개
305마리

868개

다리 수: 4개
114마리

4984개

다리 수: 8개
623마리

456개

2 음식점에서 보기와 같이 올림한 횟수가 적은 순서대로 음식이 나오고 있습니다. 음식이 나오는 순서대로 ◯ 안에 1, 2, 3을 써 보세요.

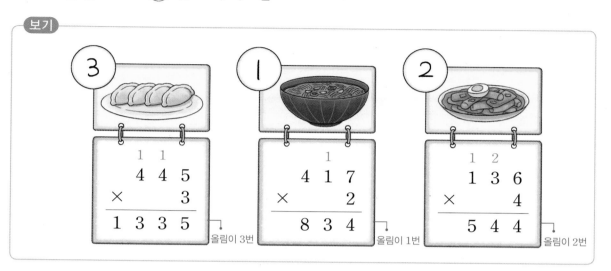

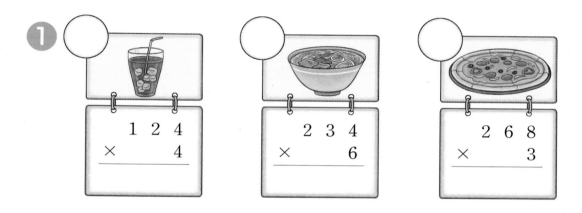

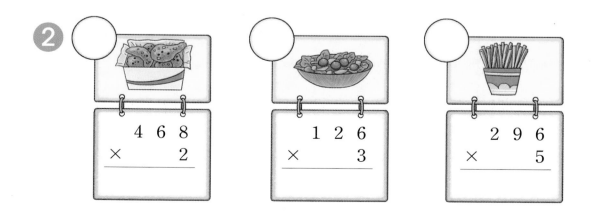

3 사다리를 타고 내려 가면서 곱셈을 계산하여 빈칸에 알맞은 수를 써넣으세요.

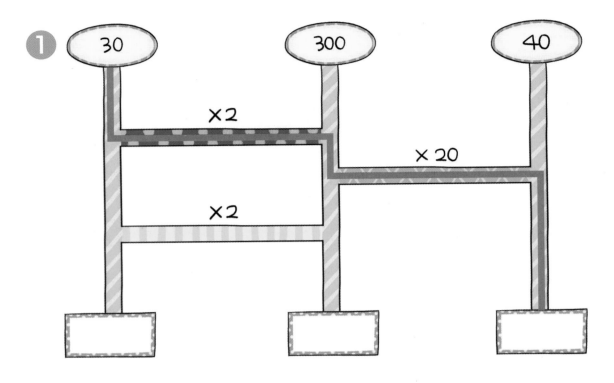

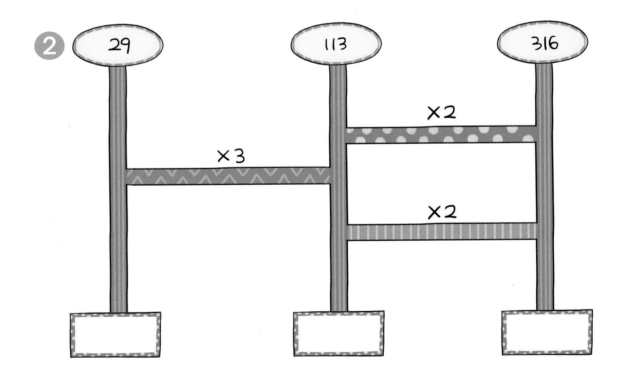

4 굵기가 일정한 통나무를 27도막으로 자르려고 합니다. 통나무를 한 번 자르는 데 14분이 걸리고, 한 번 자른 후에는 3분씩 쉰 다음 다시 자릅니다. 이 통나무를 27도막으로 자르는 데 걸리는 시간은 모두 몇 분인지 구해 보세요. (단, 통나무를 마지막으로 자른 후에는 쉬지 않습니다.)

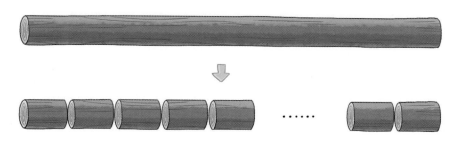

① 통나무를 27도막으로 자르기만 하는 데 걸리는 시간은 몇 분일까요?

(   )

② 통나무를 27도막으로 자르는 동안 쉬는 시간은 몇 분일까요?

(   )

③ 통나무를 27도막으로 자르는 데 걸리는 시간은 모두 몇 분일까요?

(   )

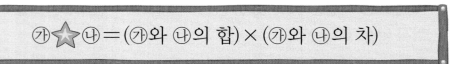
평가 영역 ☑개념 이해력 □개념 응용력 □창의력 □문제 해결력

1 ㉮☆㉯를 다음과 같이 약속하여 계산할 때 주어진 식을 계산해 보세요.

> ㉮☆㉯＝(㉮와 ㉯의 합)×(㉮와 ㉯의 차)

❶ 325 ☆ 318

❷ 452 ☆ 449

평가 영역 □개념 이해력 □개념 응용력 ☑창의력 □문제 해결력

2 보기를 보고 규칙을 찾아 빈칸에 알맞은 수를 써넣으세요.

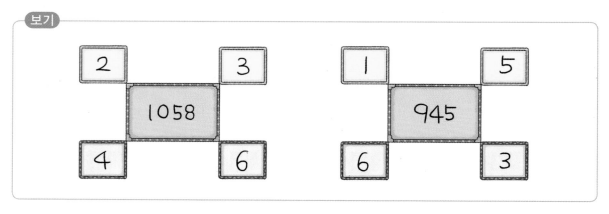

보기

2		3
	1058	
4		6

1		5
	945	
6		3

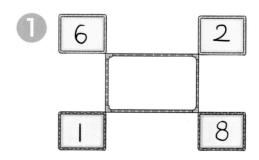

❶
6		2
1		8

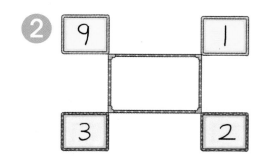

❷
9		1
3		2

평가 영역 ☐개념 이해력 ☑개념 응용력 ☐창의력 ☐문제 해결력

3 17세기 영국의 수학자인 네이피어(John Napier)는 다음과 같은 곱셈 방법을 사용하여 계산을 하였습니다.

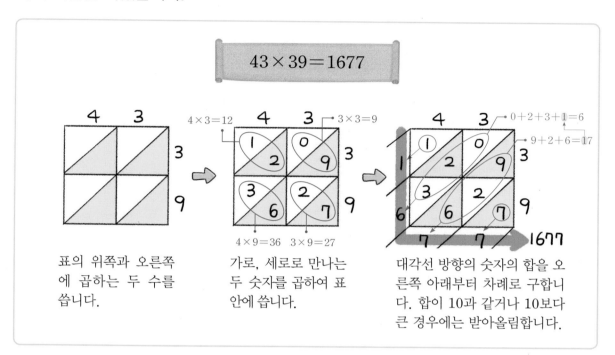

네이피어의 곱셈 방법을 사용하여 표의 빈 곳에 알맞은 수를 쓰고 곱셈의 계산 결과를 구해 보세요.

1 $52 \times 35 = $ ☐

2 $63 \times 37 = $ ☐

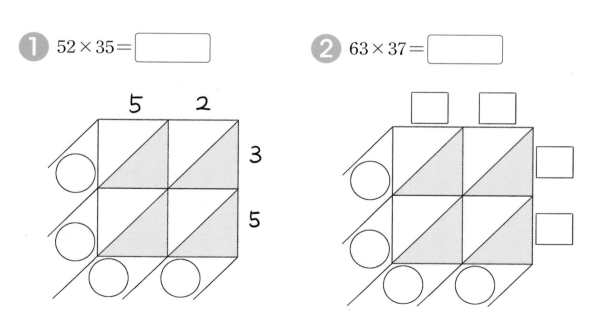

1 □ 안에 알맞은 수를 써넣으세요.

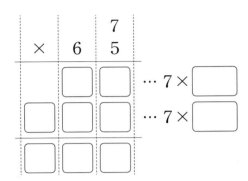

2 □ 안의 숫자 1이 실제로 나타내는 수는 얼마인지 써 보세요.

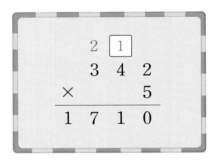

(　　　　　　　　　　　　)

3 계산해 보세요.

(1)　　 2 4 3
　　× 　　 2

(2)　　 1 8 7
　　× 　　 4

(3) 56 × 30

(4) 48 × 25

4 다음을 곱셈식으로 나타내어 계산해 보세요.

615＋615＋615＋615＋615

식 _____

답 _____

5 잘못 계산한 부분을 찾아 바르게 계산해 보세요.

```
    3 1
  × 9 3
─────────
    9 3
  2 7 9
─────────
  3 7 2
```
➡
```
    3 1
  × 9 3
```

6 가장 큰 수와 가장 작은 수의 곱을 구해 보세요.

| 27 | 40 | 39 | 56 |

(   )

7 계산 결과를 비교하여 ◯ 안에 ＞, ＝, ＜를 알맞게 써넣으세요.

397×4   ◯   56×38

8 빈칸에 알맞은 수를 써넣으세요.

9 빈칸에 알맞은 수를 써넣으세요.

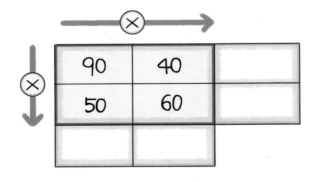

10 학생들이 한 줄에 9명씩 43줄로 서 있습니다. 줄을 선 학생은 모두 몇 명인지 두 가지 방법으로 계산해 보세요.

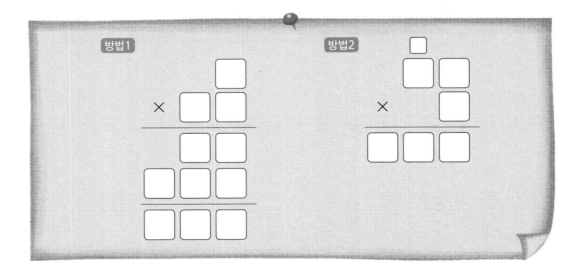

11 골프공이 한 상자에 255개씩 들어 있습니다. 4상자에 들어 있는 골프공은 모두 몇 개인지 식을 쓰고 답을 구해 보세요.

식 _____

답 _____

12 영진이는 매일 윗몸 일으키기를 45번씩 합니다. 영진이가 4주 동안 한 윗몸 일으키기는 모두 몇 번인지 구해 보세요.

(   )

13 계산 결과가 큰 것부터 차례로 기호를 써 보세요.

> ㉠ 471×5 ㉡ 32×48 ㉢ 79×29

(   )

14 ☐ 안에 알맞은 수를 써넣으세요.

	3	☐	6
×			4
1	4	2	4

15 직사각형 모양의 사방치기 놀이판이 있습니다. 세로가 104 cm이고 가로는 세로의 3배입니다. 이 놀이판의 네 변의 길이의 합은 몇 cm인지 구해 보세요.

(　　　　　　)

16 민현이와 영은이가 한 달 동안 50원짜리 동전을 모았습니다. 민현이와 영은이가 모은 돈은 모두 얼마인지 구해 보세요.

난 50원짜리 동전 24개를 모았어.

난 50원짜리 동전 18개를 모았어.

민현

영은

(　　　　　　)

17 주어진 4장의 수 카드를 한 번씩 모두 사용하여 (두 자리 수)×(두 자리 수)의 곱셈식을 만들고 있습니다. 계산 결과가 가장 큰 경우와 계산 결과가 가장 작은 경우의 계산 결과를 각각 구해 보세요.

3　5　6　8

계산 결과가 가장 큰 경우 (　　　　　)

계산 결과가 가장 작은 경우 (　　　　　)

문살 곱셈법은 창살문의 문살과 문살이 만나는 점의 개수를 세어 곱셈을 합니다.
문살 곱셈법으로 35×14를 계산하면 다음과 같습니다.

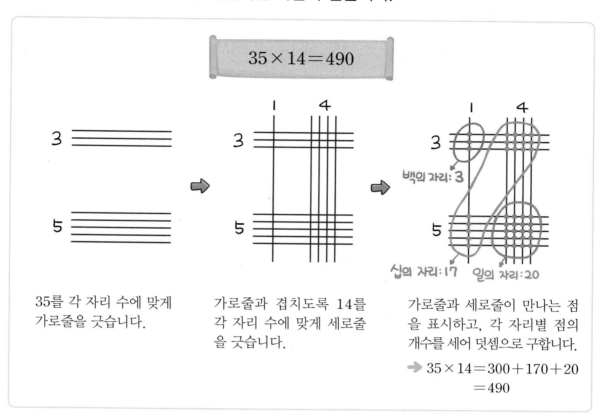

35를 각 자리 수에 맞게 가로줄을 긋습니다.

가로줄과 겹치도록 14를 각 자리 수에 맞게 세로줄을 긋습니다.

가로줄과 세로줄이 만나는 점을 표시하고, 각 자리별 점의 개수를 세어 덧셈으로 구합니다.
➡ $35 \times 14 = 300 + 170 + 20$
      $= 490$

문살 곱셈법으로 다음을 계산해 보세요.

1 $13 \times 22 = \boxed{}$

2 $24 \times 16 = \boxed{}$

2 나눗셈

단원과 관련된 나눗셈 검산 이야기를 살펴보아요.

생활 속 나눗셈 검산 이야기

계산을 한 후 계산 결과가 맞는지 확인하는 일을 검산이라고 합니다. 나눗셈을 한 후 맞았는지 확인하는 방법은 나누는 수와 몫의 곱에 나머지를 더하면 나누어지는 수가 되면 됩니다.

정호의 형은 사탕을 정호에게 주면서 친구들과 나누어 먹으라고 했습니다. 정호는 친한 친구 2명과 형이 준 사탕을 똑같이 5개씩 나누어 가졌더니 사탕이 2개 남았습니다. 형이 정호에게 준 사탕은 몇 개였는지 구해 볼까요?

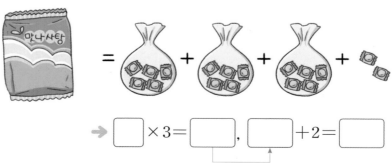

→ ☐ × 3 = ☐ , ☐ + 2 = ☐

💡 똑같이 두 묶음으로 나누기 전 처음 사탕의 수를 찾아 선으로 이어 보세요.

(1) 　•　•　

(2) 　•　•　

💡 나눗셈식 $32 \div 5 = 6 \cdots 2$가 맞는지 그림으로 확인해 보세요.

사탕 32개를 5개씩 묶으면 ☐묶음이 되고 ☐개가 남으므로

$32 \div 5 = 6 \cdots 2$가 (맞습니다 , 맞지 않습니다).

개념 1 내림이 없는 (몇십)÷(몇)

• 60÷2의 계산

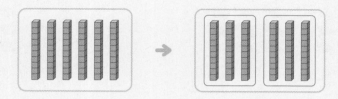

$$6 \div 2 = 3 \;\Rightarrow\; 60 \div 2 = 30$$

내림이 없는 (몇십)÷(몇)의 몫은 **(몇)÷(몇)의 몫에 0을 1개 붙여** 줍니다.

개념 2 내림이 있는 (몇십)÷(몇)

• 60÷5의 계산

십 모형 1개는 일 모형 10개로 바꿀 수 있습니다.

십 모형 6개를 일 모형 60개로 바꿔서 5개씩 묶어 보면 12번 묶을 수 있습니다.

$$\Rightarrow\; 60 \div 5 = 12$$

개념 3 내림이 없는 (몇십몇)÷(몇)

• 24÷2의 계산

| 십의 자리 | 일의 자리 |

$$2 \overline{)24}$$
$$\Rightarrow$$

십의 자리 숫자 2에 2가 1번 들어갑니다.
$$\begin{array}{r} 1 \\ 2\overline{)2\ 4} \\ 2\ 0 \end{array} \leftarrow 2 \times 10$$

$$\Rightarrow$$

일의 자리 숫자 4에 2가 2번 들어갑니다.
$$\begin{array}{r} 1\ 2 \\ 2\overline{)2\ 4} \\ 2\ 0 \\ \hline 4 \\ 4 \\ \hline 0 \end{array} \leftarrow 2 \times 2$$

✿ 나눗셈식을 세로로 쓰는 방법

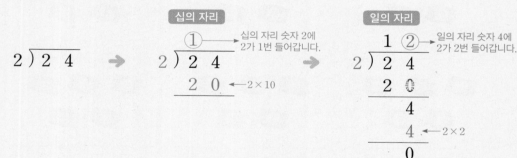

$$24 \div 2 = 12 \;\Rightarrow\; 2\overline{)24}$$

나누는 수 / 몫 / 나누어지는 수

개념 확인 문제

1-1 □ 안에 알맞은 수를 써넣으세요.

(1) $9 \div 9 = \boxed{}$ ➡ $90 \div 9 = \boxed{}$

(2) $4 \div 2 = \boxed{}$ ➡ $40 \div 2 = \boxed{}$

2-1 계산해 보세요.

(1) $30 \div 2$

(2) $90 \div 6$

(3) $70 \div 5$

(4) $60 \div 4$

3-1 수 모형을 보고 □ 안에 알맞은 수를 써넣으세요.

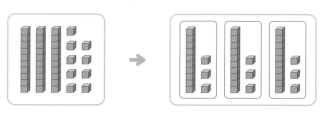

$39 \div 3 = \boxed{}$

3-2 □ 안에 알맞은 수를 써넣으세요.

(1) $84 \div 4 = 21$ ➡

(2) $96 \div 3 = 32$ ➡

개념 4 내림이 있고 나머지가 없는 (몇십몇)÷(몇)

- 52÷4의 계산

$$4\overline{)5\ 2}$$ → 심의 자리

$$\begin{array}{r} ① \\ 4\overline{)5\ 2} \\ 4\ 0 \end{array}$$ ←4×10
5에 4가 1번 들어갑니다.

→ 일의 자리

$$\begin{array}{r} 1\ ③ \\ 4\overline{)5\ 2} \\ 4\ 0 \\ \hline 1\ 2 \\ 1\ 2 \\ \hline 0 \end{array}$$ ←4×3
12에 4가 3번 들어갑니다.

> 십의 자리에서 5를 4로 나누고, 남는 1 즉, 10과 일의 자리 2를 합친 12를 4로 나누면 몫은 13입니다. ➡ 52÷4=13

개념 5 내림이 있고 나머지가 있는 (몇십몇)÷(몇) – 몫이 한 자리 수

- 19÷5의 계산

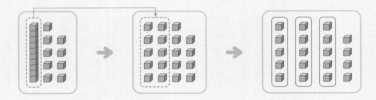

일 모형 19개를 5개씩 묶으면 3묶음이 되고, 4개가 남습니다.
➡ 19÷5=3…4

> 19를 5로 나누면 **몫**은 3이고 4가 남습니다.
> 이때 4를 19÷5의 **나머지**라고 합니다.
>
> $$19÷5=3\cdots4 \quad\Rightarrow\quad \begin{array}{r} 3 \\ 5\overline{)1\ 9} \\ 1\ 5 \\ \hline 4 \end{array}$$
> 나누는 수 → 몫
> 나누어지는 수
> 나머지
>
> 나머지가 없으면 나머지가 0이라고 말할 수 있습니다.
> 나머지가 0일 때, **나누어떨어진다**고 합니다.

4-1 수 모형을 보고 □ 안에 알맞은 수를 써넣으세요.

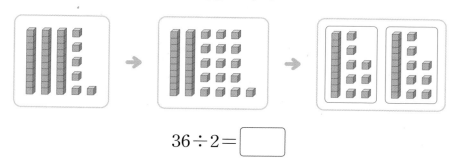

$$36 \div 2 = \boxed{}$$

4-2 □ 안에 알맞은 수를 써넣으세요.

(1)

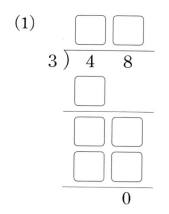

(2)

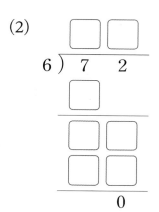

5-1 계산해 보세요.

(1)
$$4\,\overline{)\,2\ 3}$$

(2)
$$5\,\overline{)\,3\ 3}$$

5-2 나눗셈의 몫과 나머지를 구해 보세요.

$$46 \div 6$$

몫 (   )

나머지 (   )

개념 **6** 내림이 있고 나머지가 있는 **(몇십몇)÷(몇)** – 몫이 두 자리 수

• 59÷4의 계산

① 수 모형으로 알아보기

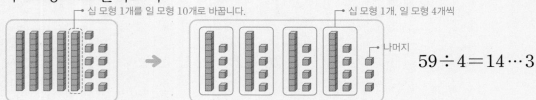

십 모형 1개를 일 모형 10개로 바꿉니다.

십 모형 1개, 일 모형 4개씩

나머지

$$59÷4=14\cdots3$$

② 세로로 계산하기

$$4\overline{)59}$$

→

5에 4가 1번 들어갑니다.

$$\begin{array}{r} 1 \\ 4\overline{)5\,9} \\ 4\,0 \end{array}$$ ←4×10

→

19에 4가 4번 들어갑니다.

$$\begin{array}{r} 1\ 4 \\ 4\overline{)5\ 9} \\ 4\ 0 \\ \hline 1\ 9 \\ 1\ 6 \\ \hline 3 \end{array}$$ ←4×4

개념 **7** 나머지가 없는 **(세 자리 수)÷(한 자리 수)**

• 320÷2의 계산

$$\begin{array}{r} 1 \\ 2\overline{)3\ 2\ 0} \\ 2 \\ \hline 1 \end{array}$$

←3÷2의 몫
←2×1
←3-2

→

12÷2의 몫

$$\begin{array}{r} 1\ 6 \\ 2\overline{)3\ 2\ 0} \\ 2 \\ \hline 1\ 2 \\ 1\ 2 \\ \hline 0 \end{array}$$

2를 내려 쓰기
←2×6

→

몫의 일의 자리에 0을 꼭 써야 합니다.

$$\begin{array}{r} 1\ 6\ 0 \\ 2\overline{)3\ 2\ 0} \\ 2 \\ \hline 1\ 2 \\ 1\ 2 \\ \hline 0 \end{array}$$

0을 내려 쓰기

백의 자리부터 차례로 나눕니다. ➡ 320÷2=160

• 165÷5의 계산

$$5\overline{)1\ 6\ 5}$$

백의 자리에서는 나눌 수 없어요.

→

16÷5의 몫

$$\begin{array}{r} 3 \\ 5\overline{)1\ 6\ 5} \\ 1\ 5 \\ \hline 1 \end{array}$$

→

15÷5의 몫

$$\begin{array}{r} 3\ 3 \\ 5\overline{)1\ 6\ 5} \\ 1\ 5 \\ \hline 1\ 5 \\ 1\ 5 \\ \hline 0 \end{array}$$

5를 내려 쓰기

백의 자리에서 1을 5로 나눌 수 없으므로 십의 자리에서 16을 5로 나누고,
남는 1, 즉 10과 일의 자리 5를 합친 15를 5로 나눕니다. ➡ 165÷5=33

개념 확인 문제

6-1 □ 안에 알맞은 수를 써넣으세요.

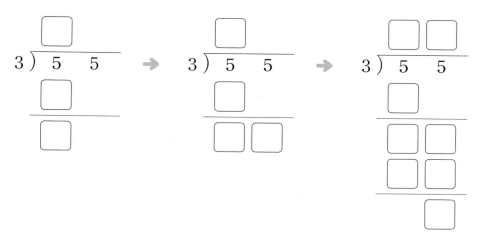

6-2 계산해 보세요.

(1) $62 \div 5$

(2) $50 \div 4$

(3) $6 \overline{)\,7\ \ 3}$

(4) $7 \overline{)\,9\ \ 3}$

7-1 □ 안에 알맞은 수를 써넣으세요.

(1)
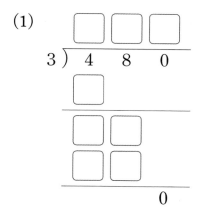

(2)
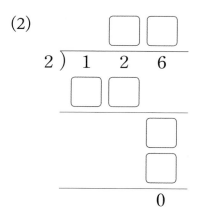

7-2 빈 곳에 나눗셈의 몫을 써넣으세요.

(1)
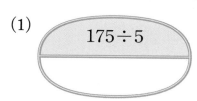

$175 \div 5$

(2)
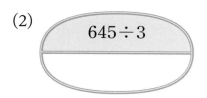

$645 \div 3$

개념 8 나머지가 있는 (세 자리 수)÷(한 자리 수)

• 307÷3의 계산

$$
\begin{array}{r}
1 \leftarrow 3\div3\text{의 몫}\\
3\,)\overline{3\;0\;7}\\
\underline{3} \leftarrow 3\times1\\
0
\end{array}
$$

→ 몫의 십의 자리에 0을 꼭 써야 합니다.

$$
\begin{array}{r}
1\;0\\
3\,)\overline{3\;0\;7}\\
\underline{3}\\
0
\end{array}
$$

→ 7÷3의 몫

$$
\begin{array}{r}
1\;0\;2\\
3\,)\overline{3\;0\;7}\\
\underline{3} \quad\downarrow 7\text{을 내려 쓰기}\\
7\\
\underline{6} \leftarrow 3\times2\\
1
\end{array}
$$

> 백의 자리에서 3을 3으로 나누고, 십의 자리에서는 나눌 수 없으므로 일의 자리
> 7을 3으로 나누면 1이 남습니다. ➡ 307÷3=102…1

• 249÷5의 계산

$$
5\,)\overline{2\;4\;9}
$$

백의 자리에서는 나누지 못해요.

→ 24÷5의 몫

$$
\begin{array}{r}
4\\
5\,)\overline{2\;4\;9}\\
\underline{2\;0}\\
4
\end{array}
$$

→ 49÷5의 몫

$$
\begin{array}{r}
4\;9\\
5\,)\overline{2\;4\;9}\\
\underline{2\;0} \quad\downarrow 9\text{를 내려 쓰기}\\
4\;9\\
\underline{4\;5}\\
4
\end{array}
$$

> 백의 자리에서 2를 5로 나눌 수 없으므로 십의 자리에서 24를 5로 나누고,
> 남는 4, 즉 40과 일의 자리에서 9를 합친 49를 5로 나누면 4가 남습니다.
> ➡ 249÷5=49…4

개념 9 계산이 맞는지 확인하기

> $$23 \div 4 = 5 \cdots 3$$
>
> $$4 \times 5 = 20, \quad 20 + 3 = 23$$
>
> 나누는 수와 몫의 곱에 **나머지**를 더하면 **나누어지는 수**가 되어야 합니다.

개념 확인 문제

8-1 □ 안에 알맞은 수를 써넣으세요.

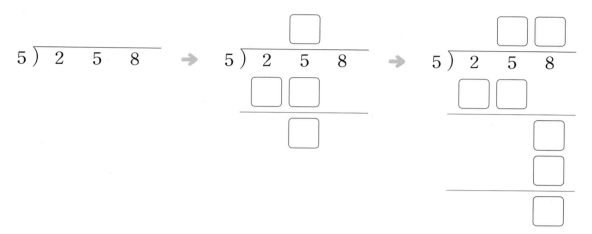

8-2 계산해 보세요.

(1)
$$4 \overline{\smash{)}\ 4\ 6\ 9}$$

(2)
$$8 \overline{\smash{)}\ 5\ 6\ 9}$$

9-1 계산한 것을 보고 계산 결과가 맞는지 확인해 보세요.

$$
\begin{array}{r}
1\ 3 \\
7\overline{\smash{)}\ 9\ 2} \\
7 \\
\hline
2\ 2 \\
2\ 1 \\
\hline
1
\end{array}
$$

확인 □ × □ = □ ,
□ + □ = □

9-2 계산해 보고 계산 결과가 맞는지 확인해 보세요.

$$30 \div 4 = \boxed{} \cdots \boxed{}$$

확인 □ × □ = 28, 28 + □ = 30

준비물 ▶ 붙임딱지

말굽자석으로 모래 안에 흩어져 있는 물건 중에서 자석에 붙는 물건을 찾으려고 합니다.
나눗셈의 몫이 쓰인 붙임딱지를 붙여 보세요.

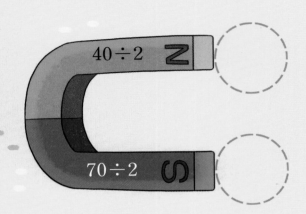

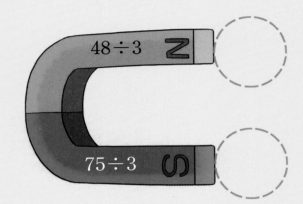

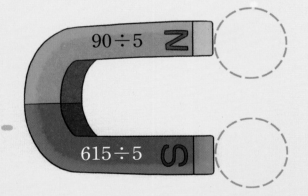

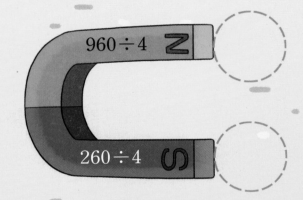

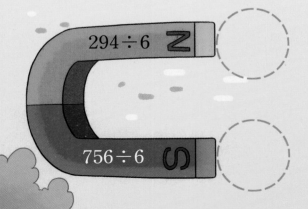

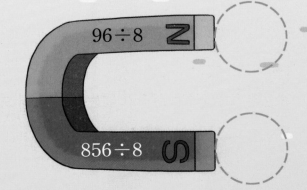

612÷9　N

468÷9　S

570÷3　N

345÷3　S

68÷4　N

824÷4　S

70÷5　N

850÷5　S

78÷6　N

702÷6　S

931÷7　N

413÷7　S

준비물 붙임딱지

해적들이 숨겨 놓은 보물 상자를 여러 개 발견했습니다. 나눗셈에 알맞은 몫과 나머지를 찾아 보물 상자를 열어 보세요.

개념 1 (몇십)÷(몇)

01 □ 안에 알맞은 수를 써넣으세요.

(1) $4 \div 2 = \boxed{}$ ➡ $40 \div 2 = \boxed{}$

(2) $9 \div 3 = \boxed{}$ ➡ $90 \div 3 = \boxed{}$

02 몫을 찾아 선으로 이어 보세요.

$50 \div 5$	•		•	15
$30 \div 2$	•		•	10
$60 \div 3$	•		•	20

03 큰 수를 작은 수로 나눈 몫을 빈칸에 써넣으세요.

4	60

04 사탕 70개를 한 학생에게 7개씩 똑같이 나누어 주려고 합니다. 몇 명에게 나누어 줄 수 있는지 식을 쓰고 답을 구해 보세요.

식 _____

답 _____

개념 2 나머지가 없는 (몇십몇)÷(몇)

05 빈 곳에 알맞은 수를 써넣으세요.

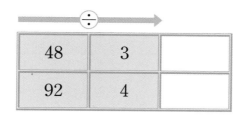

48	3	
92	4	

06 크기를 비교하여 ◯ 안에 >, =, <를 알맞게 써넣으세요.

(1) 28÷2 ◯ 15

(2) 20 ◯ 75÷5

07 몫이 <u>다른</u> 하나를 찾아 기호를 써 보세요.

　㉠ 36÷2　　㉡ 96÷6
　㉢ 48÷3　　㉣ 64÷4

(　　　　　　　　)

08 정사각형 네 변의 길이의 합은 64 cm입니다. 정사각형의 한 변의 길이는 몇 cm인지 ☐ 안에 알맞은 수를 써넣으세요.

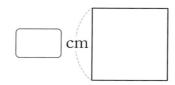

3
주

교과서

개념3 나머지가 있는 (몇십몇)÷(몇)

09 나누어떨어지는 나눗셈을 찾아 기호를 써 보세요.

$$\bigcirc\ 36\div5 \qquad \bigcirc\ 84\div7 \qquad \bigcirc\ 97\div8$$

( )

10 나머지가 같은 것끼리 선으로 이어 보세요.

$69\div6$	$47\div3$	$56\div5$
·	·	·
·	·	·
$89\div8$	$75\div4$	$87\div5$

11 나머지가 가장 큰 것에 ◯표 하세요.

$48\div9$	$33\div8$	$51\div3$
( )	( )	( )

12 ㉠과 ㉡에 알맞은 수를 각각 구해 보세요.

$$73\div4=\bigcirc\cdots1$$
$$67\div3=22\cdots\bigcirc$$

㉠ ( ), ㉡ ( )

개념 4 나머지가 없는 (세 자리 수)÷(한 자리 수)

13 정훈이와 같이 계산해 보세요.

정훈

14 빈칸에 알맞은 수를 써넣으세요.

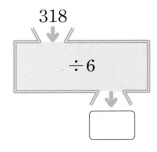

15 몫의 크기를 비교하여 ○ 안에 >, =, <를 알맞게 써넣으세요.

(1) $378 \div 3$ ○ $942 \div 2$

(2) $255 \div 3$ ○ $720 \div 9$

16 열대어 450마리를 어항 3개에 똑같이 나누어 넣으려고 합니다. 어항 한 개에 열대어를 몇 마리씩 넣어야 하는지 식을 쓰고 답을 구해 보세요.

식 _____

답 _____

개념**5** 나머지가 있는 (세 자리 수)÷(한 자리 수)

17 나눗셈의 몫과 나머지를 구해 보세요.

$$914 \div 8$$

몫 (   ), 나머지 (   )

18 잘못된 곳을 찾아 바르게 계산해 보세요.

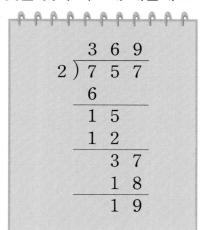

→

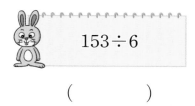

19 나머지가 더 큰 동물에 ◯표 하세요.

$$153 \div 6$$

$$618 \div 4$$

(   )   (   )

20 당근 137개를 5상자에 똑같이 나누어 담으려고 합니다. 한 상자에 당근을 몇 개씩 담을 수 있고, 몇 개가 남는지 차례로 구해 보세요.

(   ), (   )

개념 6 계산이 맞는지 확인하기

21 나눗셈을 하고 계산 결과가 맞는지 확인해 보세요.

(1) $93 \div 4 =$ ☐ ⋯ ☐

확인 _____

(2) $84 \div 5 =$ ☐ ⋯ ☐

확인 _____

22 관계있는 것끼리 선으로 이어 보세요.

$49 \div 3$ •

$90 \div 8$ •

• $8 \times 11 = 88,$
$88 + 2 = 90$

• $3 \times 16 = 48,$
$48 + 1 = 49$

23 나눗셈을 하고 계산 결과가 맞는지 확인한 식이 보기 와 같습니다. 계산한 나눗셈식을 쓰고, 몫과 나머지를 각각 구해 보세요.

보기
$$7 \times 4 = 28, \ 28 + 6 = 34$$

식 _____

몫 _____ 나머지 _____

⭐ **나머지가 될 수 있는 수 구하기**

1 어떤 수를 8로 나누었을 때 나머지가 될 수 없는 수에 ◯표 하세요.

| 0 | 2 | 4 | 6 | 8 |

개념 피드백

• 나눗셈의 몫과 나머지

19를 5로 나누면 몫은 3이고 4가 남습니다. 이때 4를 19÷5의 나머지라고 합니다.

$$19 \div 5 = 3 \cdots 4$$

몫   나머지

나머지는 항상 나누는 수보다 작아야 합니다.

1-1 다음 나눗셈에서 나머지가 될 수 없는 수를 모두 골라 기호를 써 보세요.

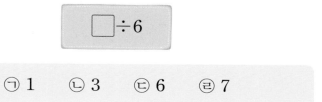

    ㉠ 1   ㉡ 3   ㉢ 6   ㉣ 7

(　　　　　　　　)

1-2 어떤 수를 5로 나누었을 때 나머지가 될 수 있는 가장 큰 자연수를 구해 보세요.

(　　　　　　　　)

★ 어떤 수(나누어지는 수) 구하기

2 □ 안에 알맞은 수를 써넣으세요.

$$\boxed{} \div 5 = 16 \cdots 3$$

개념 피드백

• 계산이 맞는지 확인하기

나누는 수와 몫의 곱에 나머지를 더하면 나누어지는 수가 됩니다.

3 주

교과서

2-1 어떤 수를 8로 나누었더니 몫이 10, 나머지가 5가 되었습니다. 어떤 수는 얼마인지 구해 보세요.

(   )

2-2 □ 안에 들어갈 수 있는 수 중에서 가장 큰 자연수를 구해 보세요.

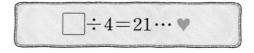

(   )

★ 나누어떨어지게 하는 수 구하기

3 다음 나눗셈이 나누어떨어진다고 할 때, 1부터 9까지의 수 중에서 ☐ 안에 들어갈
수 있는 수를 모두 구해 보세요.

$$35 \div \boxed{}$$

답 _____

개념
피드백 • 나머지가 0일 때, 나누어떨어진다고 합니다.

3-1 2부터 9까지의 수 중에서 28을 나누어떨어지게 하는 수를 모두 구해 보세요.

(   )

3-2 다음 나눗셈이 나누어떨어진다고 할 때, 1부터 9까지의 수 중에서 ☐ 안에 들어갈 수
있는 수가 더 많은 것에 ○표 하세요.

$$32 \div \boxed{} \qquad\qquad 40 \div \boxed{}$$

(   )   (   )

⭐ **나누어떨어질 때 나누어지는 수 구하기**

4 다음 나눗셈이 나누어떨어진다고 할 때, 0부터 9까지의 수 중에서 ★에 알맞은 수를 모두 구해 보세요.

$$8★ \div 3$$

답 _____

 개념 피드백 • 나눗셈 ● ÷ ▲ = ■ 에서 나머지가 0으로 나누어떨어질 때 ● = ▲ × ■ 입니다.

4-1 다음 나눗셈이 나누어떨어진다고 할 때, 0부터 9까지의 수 중에서 ●에 알맞은 수를 모두 구해 보세요.

$5 \overline{)9 ●}$

(   )

4-2 다음 나눗셈이 나누어떨어진다고 할 때, 0부터 9까지의 수 중에서 ■에 알맞은 수는 모두 몇 개인지 구해 보세요.

$$6■ \div 4$$

(   )

★ **나눗셈의 활용**

5 과일 가게에 사과가 67개 있습니다. 그중 7개를 팔고 남은 사과를 봉지 4개에 똑같이 나누어 담으면 한 봉지에 몇 개씩 담을 수 있는지 구해 보세요.

답 _____

개념 피드백
① (남은 사과의 수)＝(전체 사과의 수)−(판 사과의 수)
② (한 봉지에 담을 수 있는 사과의 수)＝(남은 사과의 수)÷(봉지의 수)

5-1 남학생 42명과 여학생 30명이 있습니다. 학생들을 한 줄에 6명씩 세우면 모두 몇 줄이 되는지 구해 보세요.

( )

5-2 파란 색연필 36자루와 빨간 색연필 27자루가 있습니다. 학생 한 명에게 3자루씩 나누어 준다면 몇 명에게 나누어 줄 수 있는지 구해 보세요.

( )

★ 나눗셈식 완성하기

6 □ 안에 알맞은 수를 써넣으세요.

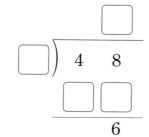

개념 피드백 구할 수 있는 자리의 □ 안의 수부터 차례로 구합니다.

6-1 □ 안에 알맞은 수를 써넣으세요.

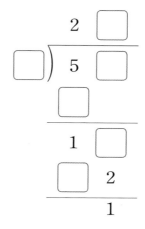

6-2 □ 안에 알맞은 수를 써넣으세요.

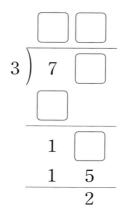

1 연필이 한 묶음에 12자루씩 9묶음 있습니다. 연필을 6명에게 똑같이 나누어 준다면 한 명에게 몇 자루씩 나누어 줄 수 있는지 구해 보세요.

✏️ 구하려는 것, 주어진 것에 선을 그어 봅니다.

해결하기 전체 연필 수는 ☐ × ☐ = ☐ (자루)입니다.

따라서 한 명에게 나누어 줄 수 있는 연필은

☐ ÷6= ☐ (자루)입니다.

답 구하기 ☐

---

2 사탕이 한 상자에 7개씩 16상자 있습니다. 사탕을 8명에게 똑같이 나누어 준다면 한 명에게 몇 개씩 나누어 줄 수 있는지 구해 보세요.

✏️ 구하려는 것, 주어진 것에 선을 그어 봅니다.

해결하기

_____

_____

_____

_____

답 구하기 _____

---

3 어떤 수를 7로 나누어야 할 것을 잘못하여 어떤 수에 7을 곱했더니 910이 되었습니다. 바르게 계산한 몫과 나머지는 각각 얼마인지 구해 보세요.

✏️ 구하려는 것, 주어진 것에 선을 그어 봅니다.

해결하기 어떤 수를 ■ 라고 하여 잘못 계산한 식을 쓰면 ■× ☐ = ☐ 입니다.

어떤 수는 ■ = ☐ ÷ ☐ = ☐ 입니다.

따라서 바르게 계산하면 ☐ ÷ ☐ = ☐ ⋯ ☐ 이므로

몫은 ☐ , 나머지는 ☐ 입니다.

답 구하기 몫 ☐   나머지 ☐

4 어떤 수를 4로 나누어야 할 것을 잘못하여 어떤 수에 4를 곱했더니 180이 되었습니다. 바르게 계산한 몫과 나머지는 각각 얼마인지 구해 보세요.

✏️ 구하려는 것, 주어진 것에 선을 그어 봅니다.

해결하기

답 구하기 몫   나머지

준비물 붙임딱지

강당에 3학년, 4학년, 5학년, 6학년 학생들이 학년별로 모두 긴 의자에 앉으려고 합니다.
학생들이 앉아 있는 긴 의자는 학년별로 각각 몇 개씩인지 붙임딱지를 붙여 구해 보세요.
(단, 3학년과 4학년은 6명까지, 5학년과 6학년은 5명까지 앉을 수 있습니다.)

3학년: 43명

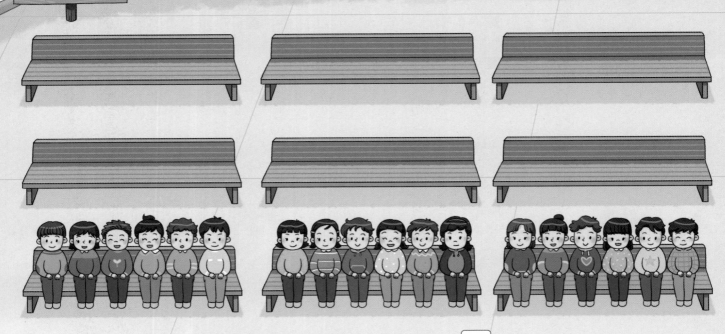

3학년 학생들이 앉아 있는 긴 의자는 ☐개입니다.

4학년: 50명

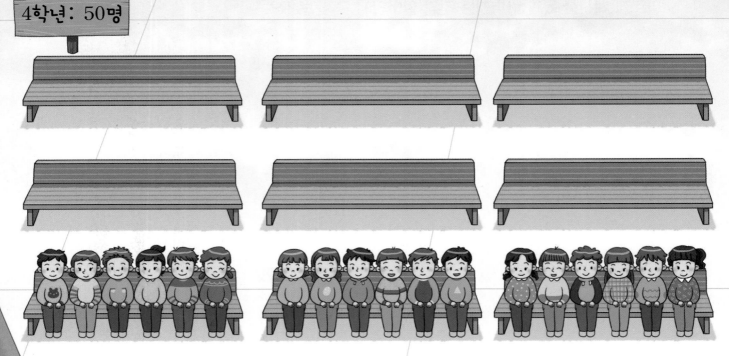

4학년 학생들이 앉아 있는 긴 의자는 ☐개입니다.

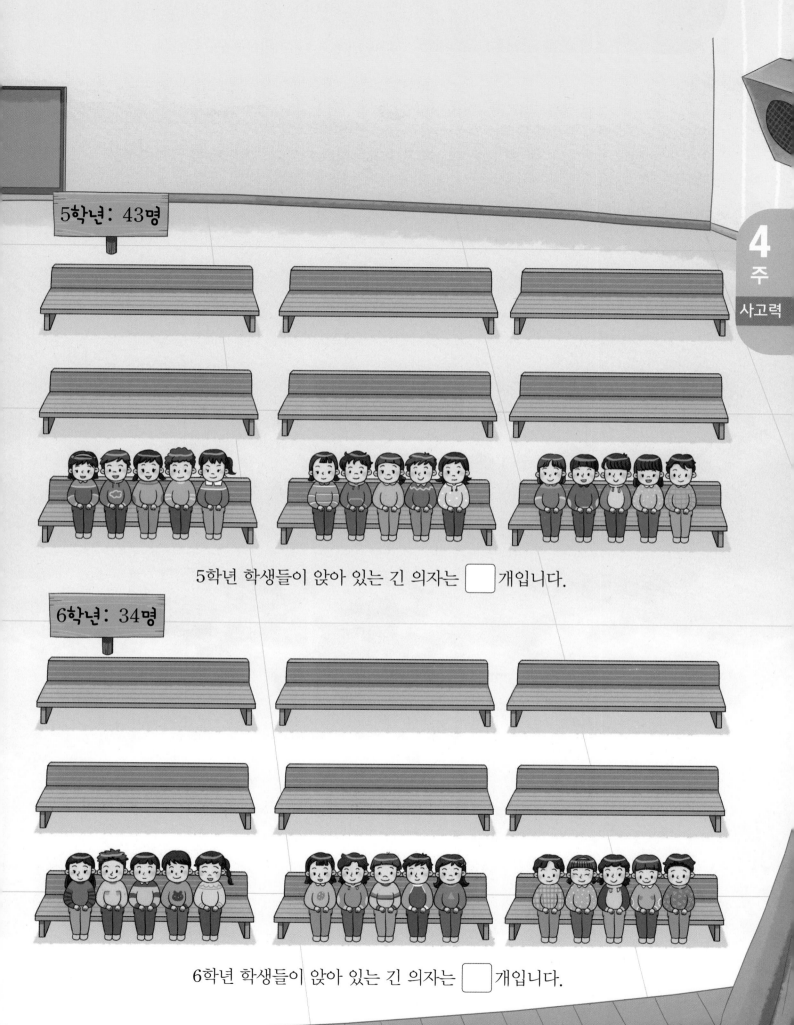

5학년 학생들이 앉아 있는 긴 의자는 ☐개입니다.

6학년 학생들이 앉아 있는 긴 의자는 ☐개입니다.

과수원에서 과일을 주어진 상자에 똑같이 나누어 담으려고 합니다. 과일을 모두 남김없이 담으려면 적어도 몇 개의 과일이 더 필요한지 빈 바구니 안에 더 필요한 과일 수만큼 붙임딱지를 붙여 보세요.

사과 76개 + 상자 6개

배 39개 + 상자 5개

오렌지 230개 + 상자 9개

감 97개 + → 상자 7개

파인애플 100개 + → 상자 8개

석류 309개 + → 상자 6개

1 그림과 같이 길이가 426 m인 도로의 한쪽에 6 m 간격으로 나무를 심으려고 합니다. 필요한 나무는 모두 몇 그루인지 구해 보세요. (단, 나무의 두께는 생각하지 않습니다.)

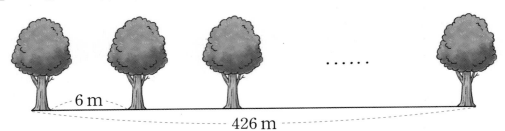

① 나무와 나무 사이의 간격은 몇 m일까요?

(   )

② 나무와 나무 사이의 간격은 몇 군데인지 구해 보세요.

(   )

③ 필요한 나무는 모두 몇 그루인지 구해 보세요.

(   )

2 주연이와 수현이가 각각 가지고 있는 수 카드 3장을 한 번씩만 사용하여 몫이 가장 큰 (두 자리 수)÷(한 자리 수)를 만들었습니다. 몫이 더 큰 나눗셈식을 만든 사람을 구해 보세요.

주연   6   5   3   7   2   5   수현

4
주

사고력

① 알맞은 말에 ○표 하세요.

(두 자리 수)÷(한 자리 수)의 몫이 가장 크려면 두 자리 수는 만들 수 있는 가장 (큰 , 작은) 수, 한 자리 수는 가장 (큰 , 작은) 수이어야 합니다.

② 주연이가 만든 나눗셈식을 계산해 보세요.

$$\boxed{} ÷ \boxed{} = \boxed{} \cdots \boxed{}$$

③ 수현이가 만든 나눗셈식을 계산해 보세요.

$$\boxed{} ÷ \boxed{} = \boxed{} \cdots \boxed{}$$

④ 몫이 더 큰 나눗셈식을 만든 사람의 이름을 써 보세요.

(　　　　　　)

3 다음과 같이 가로가 75 cm, 세로가 60 cm인 직사각형 모양의 그림을 가로가 5 cm, 세로가 4 cm인 작은 직사각형 모양 조각으로 자르려고 합니다. 작은 직사각형 모양 조각 몇 장으로 자를 수 있는지 구해 보세요.

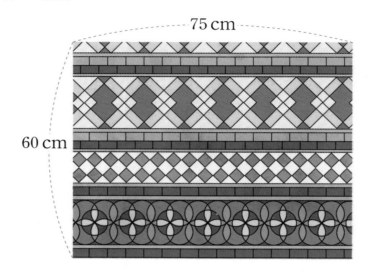

① 가로는 몇 장으로 자를 수 있는지 구해 보세요.

( )

② 세로는 몇 장으로 자를 수 있는지 구해 보세요.

( )

③ 작은 직사각형 모양 조각 몇 장으로 자를 수 있는지 구해 보세요.

( )

4 농장 마당에 강아지, 고양이, 닭이 놀고 있습니다. 다리 수를 세어 보니 모두 100개였고 닭은 30마리 있습니다. 강아지, 고양이, 닭은 모두 몇 마리인지 구해 보세요.

1 닭의 다리 수는 모두 몇 개인지 구해 보세요.

(   )

2 강아지와 고양이의 다리 수의 합을 구해 보세요.

(   )

3 강아지와 고양이 수의 합을 구해 보세요.

(   )

4 강아지, 고양이, 닭은 모두 몇 마리인지 구해 보세요.

(   )

1 같은 모양에 있는 큰 수를 작은 수로 나눈 몫을 구해 보세요.

①

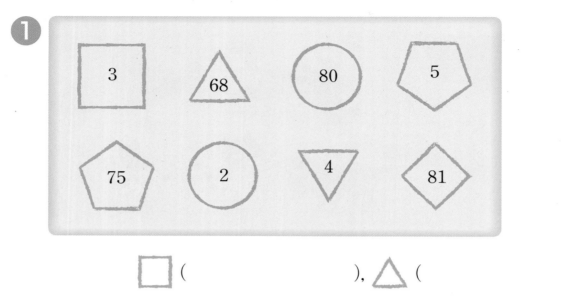

□ (   ), △ (   )

○ (   ), ⬠ (   )

②

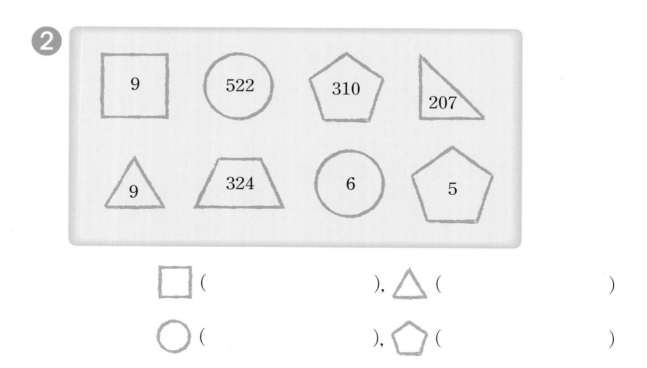

□ (   ), △ (   )

○ (   ), ⬠ (   )

2 조건이 맞는 칸에 색칠해 보세요.

1 몫이 20보다 큰 칸

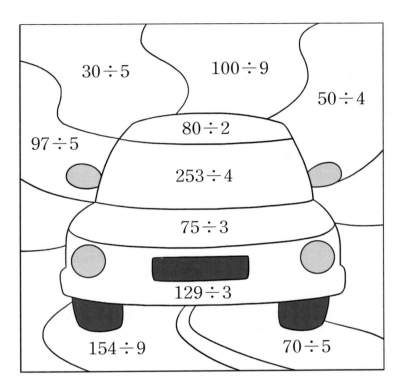

2 몫이 200보다 작은 칸

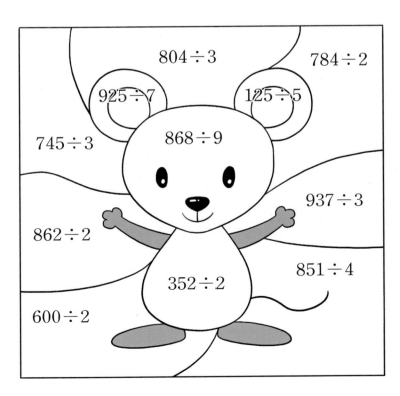

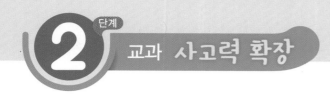

3 각 동물이 타고 있는 차를 주차장에 주차시키려고 합니다. 사다리를 따라 내려가 도착한 주차장에 몫이 써 있는 자동차와 동물 붙임딱지를 붙여 보세요.

준비물 붙임딱지

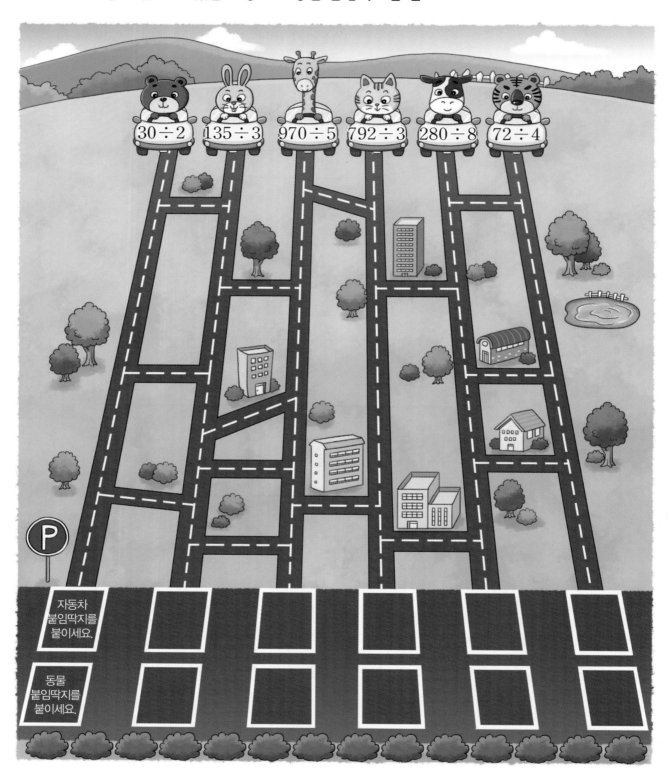

4 보기 와 같이 같은 모양에 있는 수를 곱하면 한가운데 수가 됩니다. 빈 곳에 알맞은 수를 써넣으세요.

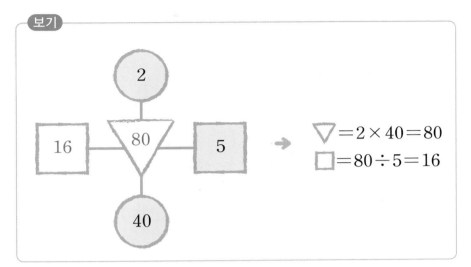

①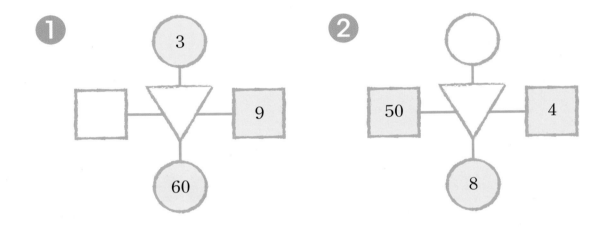

②

③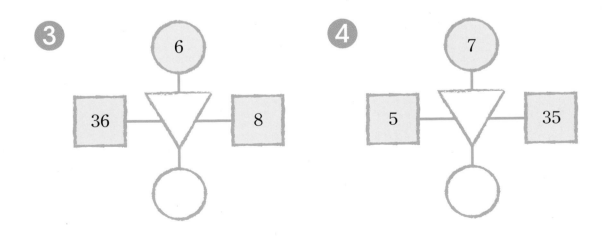

④

1 게임기 안에 크기가 똑같은 공이 4개 들어 있습니다. 이 중에서 2개를 뽑아 한 번씩 사용하여 만들 수 있는 두 자리 수 중 6으로 나누어떨어지는 수는 모두 몇 개인지 구해 보세요.

❶ 공에 쓰여 있는 수를 한 번씩 사용하여 만들 수 있는 두 자리 수를 모두 구해 보세요.

십의 자리 숫자가 2인 두 자리 수: ②◯, ②◯, ②◯

십의 자리 숫자가 4인 두 자리 수: ④◯, ④◯, ④◯

십의 자리 숫자가 6인 두 자리 수: ⑥◯, ⑥◯, ⑥◯

❷ ❶에서 만든 수를 6으로 나누었을 때 나누어떨어지는 수를 모두 구해 보세요.

( )

❸ 만들 수 있는 두 자리 수 중 6으로 나누어떨어지는 수는 모두 몇 개인지 구해 보세요.

( )

평가 영역 ☐개념 이해력 ☐개념 응용력 ☑창의력 ☐문제 해결력

2 숲속에 있는 동물의 다리 수가 다음과 같을 때 각 동물은 몇 마리인지 찾아 선으로 이어 보고, 가장 많은 동물을 써 보세요.

거미: 104개

27마리

오리: 54개

24마리

사슴: 96개

13마리

다람쥐: 60개

15마리

가장 많은 동물은 [   ]입니다.

1 수 모형을 보고 □ 안에 알맞은 수를 써넣으세요.

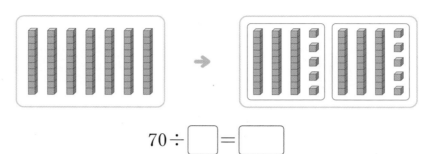

$$70 \div \boxed{} = \boxed{}$$

2 빈 곳에 나눗셈의 몫을 써넣으세요.

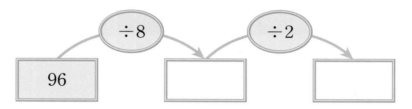

3 몫의 크기를 비교하여 ○ 안에 >, =, <를 알맞게 써넣으세요.

(1) $88 \div 8$ ○ $90 \div 5$

(2) $42 \div 3$ ○ $78 \div 6$

4 큰 수를 작은 수로 나눈 몫을 빈칸에 써넣으세요.

3	84

5 <u>잘못된</u> 곳을 찾아 바르게 계산해 보세요.

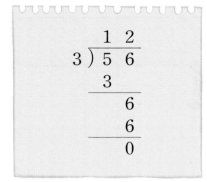 →

6 나머지가 같은 것끼리 선으로 이어 보세요.

$79 \div 4$	·		·	$93 \div 7$
$257 \div 2$	·		·	$75 \div 6$
$58 \div 4$	·		·	$609 \div 8$

7 혜영이는 일주일 동안 전체 175쪽인 동화책 한 권을 매일 같은 쪽수씩 읽었습니다. 하루에 몇 쪽씩 읽었는지 식을 쓰고 답을 구해 보세요.

 식 _____

답 _____

8 7로 나누었을 때 나누어떨어지는 수를 찾아 모두 ○표 하세요.

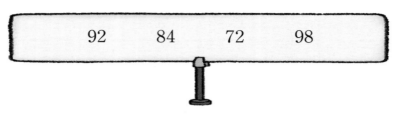

92   84   72   98

9 계산을 하고, 계산 결과가 맞는지 확인해 보세요.

$$55 \div 3$$

몫 _____   나머지 _____

확인 _____

10 어떤 수를 5로 나누었을 때 나머지가 될 수 <u>없는</u> 수를 찾아 기호를 써 보세요.

㉠ 2   ㉡ 3   ㉢ 4   ㉣ 5

(   )

11 나머지가 가장 작은 것을 찾아 기호를 써 보세요.

㉠ 63÷6   ㉡ 745÷4
㉢ 152÷3   ㉣ 653÷7

(   )

12 42를 1부터 9까지의 수로 나누었을 때 나누어떨어지게 하는 수를 모두 써 보세요.

( )

13 밀크 초콜릿 288개와 다크 초콜릿 324개를 한 봉지에 9개씩 담으려고 합니다. 봉지는 몇 개가 필요한지 구해 보세요.

( )

14 귤이 89개 있습니다. 귤을 한 바구니에 6개씩 모두 담는다면 바구니는 적어도 몇 개가 필요한지 구해 보세요.

( )

15 다음 나눗셈의 나머지가 2일 때 0부터 9까지의 수 중에서 ▢ 안에 알맞은 수를 모두 구해 보세요.

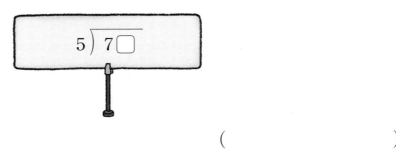

( )

16 어떤 수를 9로 나누었더니 몫이 15, 나머지가 6이 되었습니다. 어떤 수는 얼마인지 구해 보세요.

( )

17 4장의 수 카드 중에서 3장을 뽑아 한 번씩 모두 사용하여 가장 작은 세 자리 수를 만들고, 그 수를 남은 수 카드의 수로 나누어 몫을 구해 보세요.

( )

18 가로가 84 cm, 세로가 125 cm인 직사각형 모양의 종이를 가로가 4 cm, 세로가 5 cm인 작은 직사각형으로 자르려고 합니다. 작은 직사각형은 모두 몇 장이 생기는지 구해 보세요.

( )

정답과 풀이 p.24

1 3학년 학생 84명이 체육대회를 하고 있습니다. 물음에 답하세요.

(1) 3학년 학생들이 4줄로 똑같이 나누어 달리기를 하려고 합니다. 한 줄에 몇 명 씩 서게 되는지 구해 보세요.

(　　　　　　　　)

(2) 3학년 학생들이 2모둠으로 똑같이 나누어 콩 주머니 던지기를 하려고 합니다. 한 모둠을 몇 명씩으로 해야 하는지 구해 보세요.

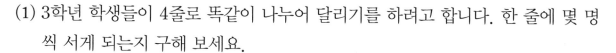

(　　　　　　　　)

Memo

96 126 138 192

243 275 276 296

297 336 376 380

434 441 462 480

510 554 588 594

628 648 669 670

696 755 763 765

855 896 1314 1352

1689 1960 2043 2150

2356 3760 6034 7048

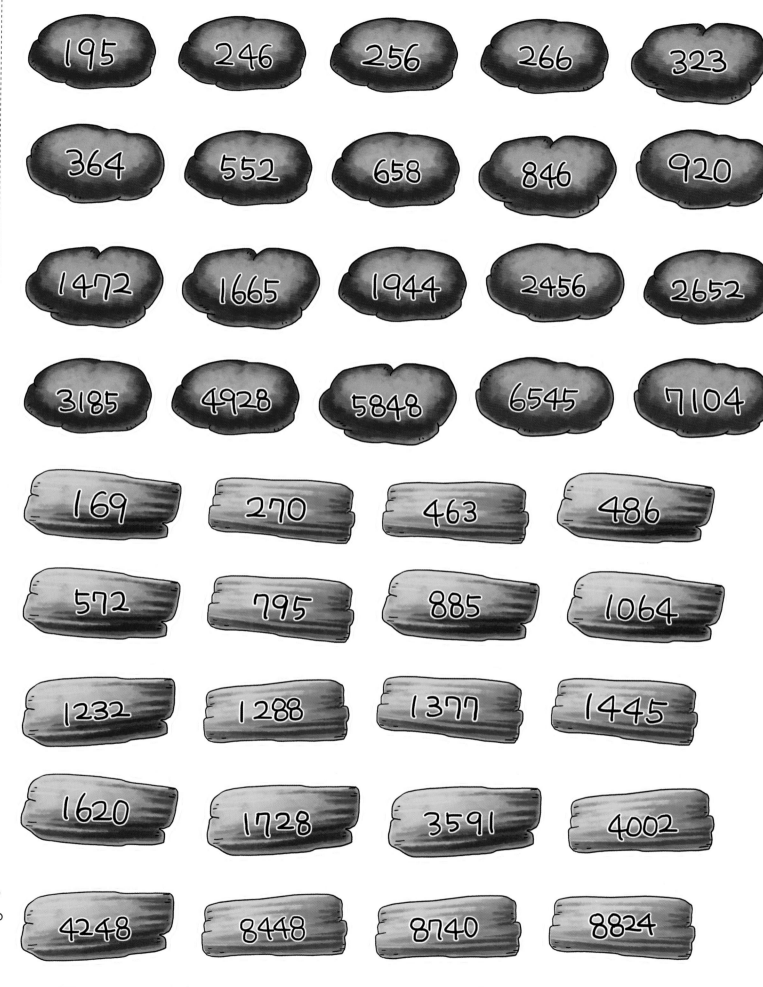

195　246　256　266　323

364　552　658　846　920

1472　1665　1944　2456　2652

3185　4928　5848　6545　7104

169　270　463　486

572　795　885　1064

1232　1288　1377　1445

1620　1728　3591　4002

4248　8448　8740　8824

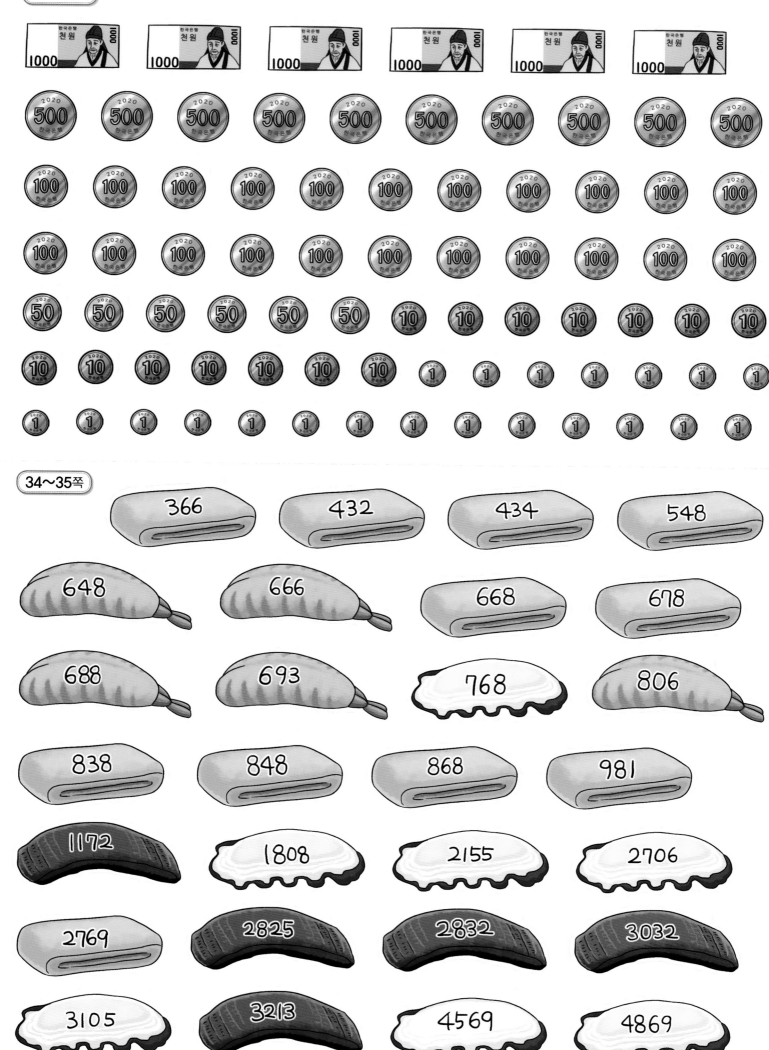

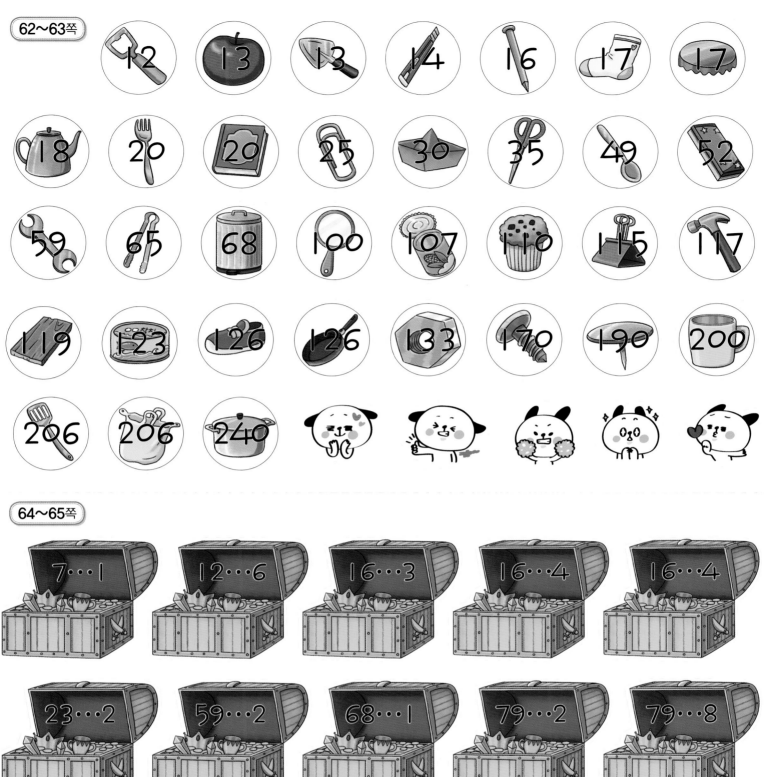

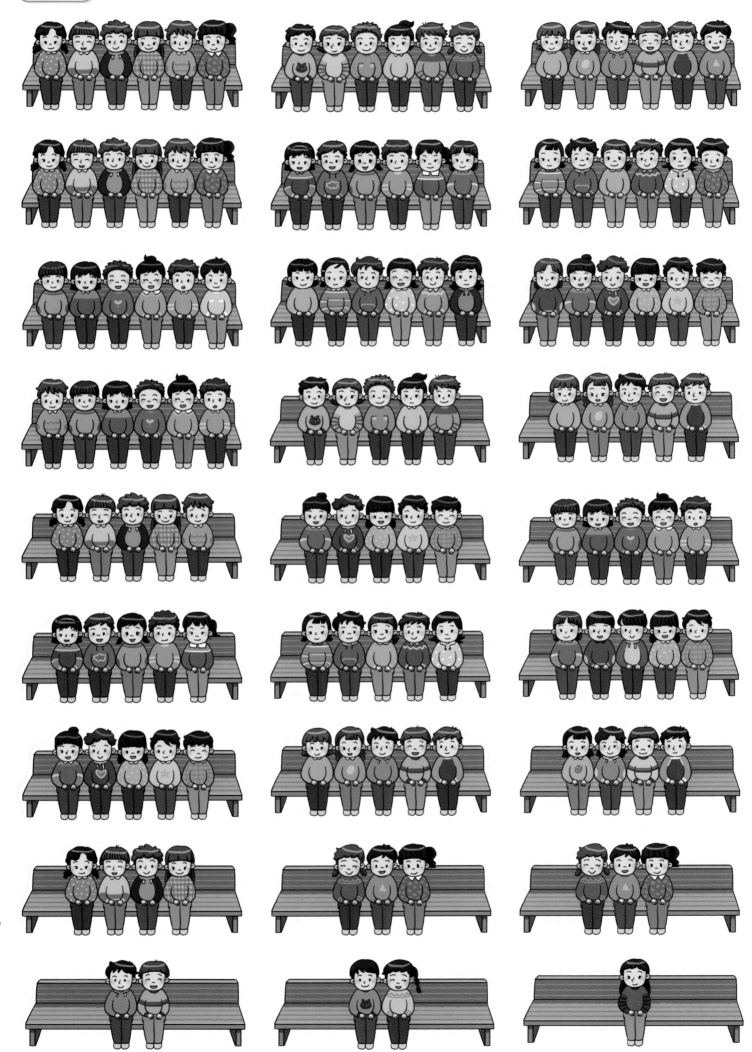

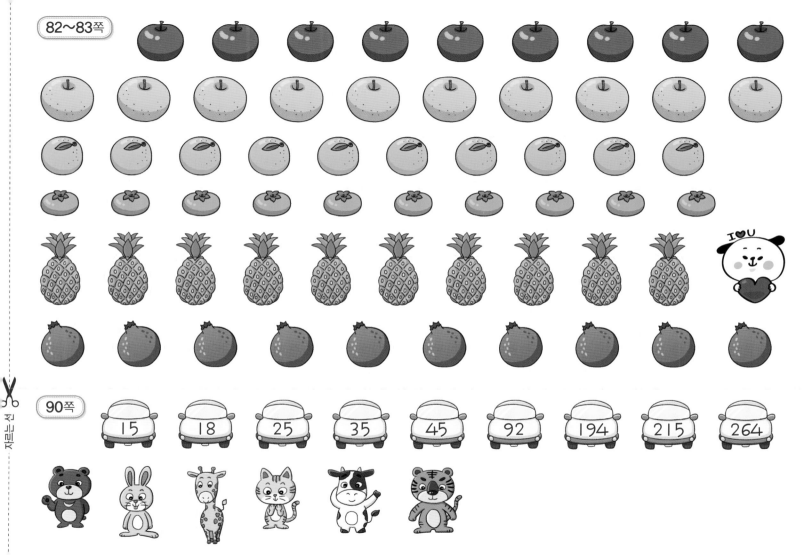

| 15 | 18 | 25 | 35 | 45 | 92 | 194 | 215 | 264 |

열심히
풀었으니까,
한 번 맞춰 볼까?

1 곱셈

곱셈 기호의 유래

×는 영국의 수학자 오트레드가 십자가를 눕혀서 곱셈 기호로 사용하기 시작했습니다.
곱셈 기호 ×는 알 수 없는 수를 나타내는 문자 X와 비슷하여 잘 사용되지 않다가 19세기 후반에
이르러 널리 사용되기 시작했습니다.

❀ 곱셈 기호를 사용하여 딸기의 수 나타내기
딸기가 한 상자에 20개씩 8상자 있습니다. 곱셈 기호를 사용하여 딸기의 수를 나타내어 볼까요?

$$20+20+20+20+20+20+20+20=160$$
➡ $20×8=160$

딸기가 한 상자에 20개씩 80상자 있습니다. 딸기는 모두 몇 개인지 알아볼까요?

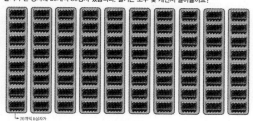

$20×8=160$
➡ $20×8×10=1600$

❀ 수 모형이 모두 몇 개인지 알맞은 수를 찾아 선으로 이어 보세요.

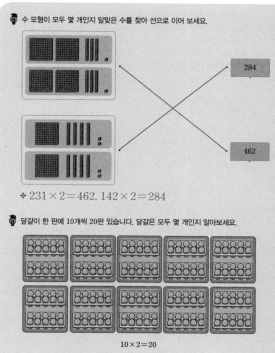

284

462

❖ $231×2=462$, $142×2=284$

❀ 달걀이 한 판에 10개씩 20판 있습니다. 달걀은 모두 몇 개인지 알아보세요.

$10×2=20$
➡ $10×20=\boxed{200}$

❖ 곱하는 수가 2에서 20으로 10배가 되었으므로 계산 결과는
20의 10배인 200입니다.

---

1 단계 교과서 개념 잡기

개념 확인 문제 · 정답과 풀이 p.1

개념 **1** 올림이 없는 (세 자리 수)×(한 자리 수)
• 231×3의 계산

백 모형이 $2×3=6$(개), 십 모형이 $3×3=9$(개), 일 모형이 $1×3=3$(개)입니다.
➡ $231×3=693$

개념 **2** 일의 자리에서 올림이 있는 (세 자리 수)×(한 자리 수)
• 126×3의 계산

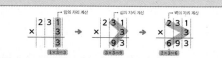

일 모형이 $6×3=18$(개)이므로 일 모형 10개를 **십 모형 1개**로 바꿉니다.

백 모형이 3개, 십 모형이 $6+❶=7$(개), 일 모형이 8개이므로 378입니다.
➡ $126×3=378$

1-1 수 모형을 보고 □ 안에 알맞은 수를 써넣으세요.

$341×2=\boxed{682}$

❖ 백 모형이 $3×2=6$(개), 십 모형이 $4×2=8$(개), 일 모형
이 $1×2=2$(개)이므로 $341×2=682$입니다.

1-2 계산해 보세요.

(1)
```
  1 3 2
×     3
─────
  3 9 6
```

(2)
```
  2 4 3
×     2
─────
  4 8 6
```

❖ 각 자리를 계산한 값을 모두 쓴 후 더합니다.
(1) $7×2=14$, $30×2=60$, $400×2=800$ ➡ $14+60+800=874$

2-1 □ 안에 알맞은 수를 써넣으세요.

(1)
```
      4 3 7
×         2
─────
    [1][4]
  [6][0]
[8][0][0]
─────
[8][7][4]
```

(2)
```
      1 2 8
×         3
─────
    [2][4]
  [6][0]
[3][0][0]
─────
[3][8][4]
```

(2) $8×3=24$, $20×3=60$, $100×3=300$ ➡ $24+60+300=384$

2-2 계산해 보세요.

(1)
```
  2 2 4
×     3
─────
  6 7 2
```

(2)
```
      3
  2 1 9
×     4
─────
  8 7 6
```

❖ 일의 자리에서 올림한 수는 십의 자리 계산에 더합니다.

정답과 풀이 · 1

① 단계 교과서 개념 잡기

개념 3 십의 자리에서 올림이 있는 (세 자리 수)×(한 자리 수)

· 263×2의 계산

수 모형으로 알아보면,

십 모형이 6×2=12(개)이므로 **십 모형 10개를 백 모형 1개로** 바꿉니다.

백 모형이 4+**1**=5(개), 십 모형이 2개, 일 모형이 6개이므로 526입니다.

➡ 263×2=526

개념 4 십의 자리, 백의 자리에서 올림이 있는 (세 자리 수)×(한 자리 수)

· 451×3의 계산

수 모형으로 알아보면,

십 모형이 5×3=15(개)이므로 **십 모형 10개를 백 모형 1개로** 바꿉니다.

백 모형이 12+**1**=13(개)이므로 **백 모형 10개를 천 모형 1개로** 바꿉니다.

천 모형이 1개, 백 모형이 3개, 십 모형이 5개, 일 모형이 3개이므로 1353입니다.

➡ 451×3=1353

8 · Run-Ⓐ 3-2

개념 확인 문제

정답과 풀이 p.2

3-1 □ 안에 알맞은 수를 써넣으세요.

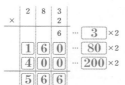

✧ 283=200+80+3이므로 각 자리 수에 2를 곱한 후 더합니다.

3-2 계산해 보세요.

(1)
$$\begin{array}{r} 2\,6\,2 \\ \times\quad 3 \\ \hline 7\,8\,6 \end{array}$$

(2)
$$\begin{array}{r} 1\,7\,0 \\ \times\quad 4 \\ \hline 6\,8\,0 \end{array}$$

✧ 십의 자리에서 올림한 수는 백의 자리 계산에 더합니다.

4-1 수 모형을 보고 □ 안에 알맞은 수를 써넣으세요.

342×4=1368

4-2 계산해 보세요.

(1)
$$\begin{array}{r} 7\,5\,4 \\ \times\quad 2 \\ \hline 1\,5\,0\,8 \end{array}$$

(2)
$$\begin{array}{r} 6\,3\,1 \\ \times\quad 6 \\ \hline 3\,7\,8\,6 \end{array}$$

✧ 올림에 주의하며 계산합니다.

1. 곱셈 · 9

---

① 단계 교과서 개념 잡기

개념 5 (몇십)×(몇십), (몇십몇)×(몇십)

· 40×20의 계산

$$40×20=40×2×10 \qquad 40×20=4×2×10×10$$
$$=80×10 \qquad\qquad =8×100$$
$$=800 \qquad\qquad\quad =800$$

$$\begin{array}{r} 4\,0 \\ \times\ 2\,0 \\ \hline 8\,0\,0 \end{array}$$

$$4 × 2 = 8 \quad➡\quad 40 × 20 = 800$$

· 26×20의 계산

$$26×20=26×10×2 \qquad 26×20=26×2×10$$
$$=260×2 \qquad\qquad =52×10$$
$$=520 \qquad\qquad\quad =520$$

$$\begin{array}{r} 2\,6 \\ \times\ 2\,0 \\ \hline 5\,2\,0 \end{array}$$

$$26 × 2 = 52 \quad➡\quad 26 × 20 = 520$$

개념 6 (몇)×(몇십몇)

· 9×23의 계산

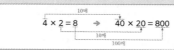

$$20 \rightarrow 9×20=180$$
$$3 \rightarrow 9×3=27$$

$$\begin{array}{r} 9 \\ \times\ 2\,3 \\ \hline 2\,7 \quad \cdots 9×3 \\ 1\,8\,0 \quad \cdots 9×20 \\ \hline 2\,0\,7 \end{array} \quad➡\quad \begin{array}{r} \,2 \\ 9 \\ \times\ 2\,3 \\ \hline 2\,0\,7 \end{array}$$

➡ 9×23=180+27=207

10 · Run-Ⓐ 3-2

개념 확인 문제

정답과 풀이 p.2

5-1 □ 안에 알맞은 수를 써넣으세요.

(1) 30×50=**15**00 (2) 13×40=**52**0

(1) 3×5의 곱에 0을 2개 붙입니다.

(2) 13×4의 곱에 0을 1개 붙입니다.

5-2 계산해 보세요.

(1)
$$\begin{array}{r} 8\,0 \\ \times\ 4\,0 \\ \hline 3\,2\,0\,0 \end{array}$$

(2)
$$\begin{array}{r} 6\,3 \\ \times\ 5\,0 \\ \hline 3\,1\,5\,0 \end{array}$$

(1) 8×4의 곱 32에 0을 2개 붙입니다. ➡ 3200

(2) 63×5의 곱 315에 0을 1개 붙입니다. ➡ 3150

6-1 □ 안에 알맞은 수를 써넣으세요.

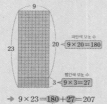

6-2 계산해 보세요.

(1) 5×21=**105** (2) 8×23=**184**

✧ (1)

(2)

1. 곱셈 · 11

1 단계 교과서 개념 잡기

개념 7 올림이 한 번 있는 (몇십몇)×(몇십몇)

· 17×15의 계산

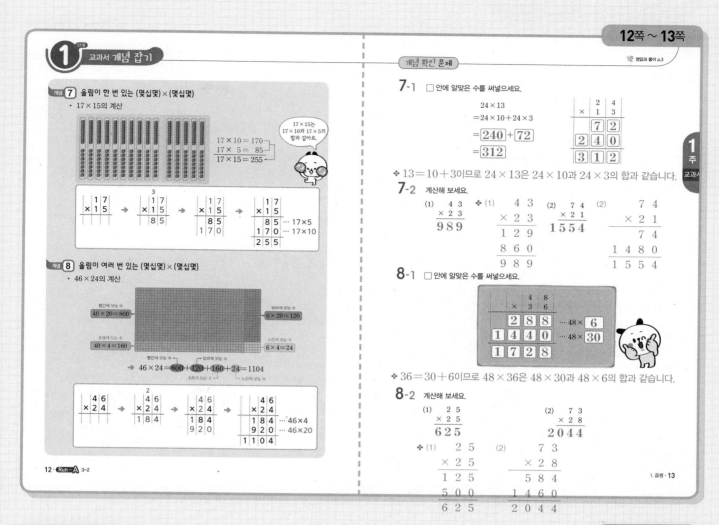

17×15는 17×10과 17×5의 합과 같아요.

$17 \times 10 = 170$
$17 \times 5 = 85$
$17 \times 15 = 255$

개념 8 올림이 여러 번 있는 (몇십몇)×(몇십몇)

· 46×24의 계산

빨간색 모눈 수
$40 \times 20 = 800$

보라색 모눈 수
$6 \times 20 = 120$

초록색 모눈 수
$40 \times 4 = 160$

노란색 모눈 수
$6 \times 4 = 24$

$46 \times 24 = 800 + 120 + 160 + 24 = 1104$

개념 확인 문제

7-1 □ 안에 알맞은 수를 써넣으세요.

24×13
$= 24 \times 10 + 24 \times 3$
$= \boxed{240} + \boxed{72}$
$= \boxed{312}$

❖ 13 = 10 + 3이므로 24 × 13은 24 × 10과 24 × 3의 합과 같습니다.

7-2 계산해 보세요.

(1) 989 (2) 1554

❖ (1)
```
   4 3
 × 2 3
 1 2 9
 8 6 0
 9 8 9
```
(2)
```
   7 4
 × 2 1
   7 4
 1 4 8 0
 1 5 5 4
```

8-1 □ 안에 알맞은 수를 써넣으세요.

```
     4 8
   × 3 6
   2 8 8  …48× 6
 1 4 4 0  …48×30
 1 7 2 8
```

❖ 36 = 30 + 6이므로 48 × 36은 48 × 30과 48 × 6의 합과 같습니다.

8-2 계산해 보세요.

(1) 625 (2) 2044

❖ (1)
```
   2 5
 × 2 5
 1 2 5
 5 0 0
 6 2 5
```
(2)
```
   7 3
 × 2 8
 5 8 4
 1 4 6 0
 2 0 4 4
```

PLAY 교과서 개념 스토리 어묵꼬치 만들기

분식집에서 맛있는 어묵꼬치를 만들고 있습니다. 알맞은 붙임딱지를 붙여 어묵꼬치를 완성해 보세요.

PLAY 교과서 개념 스토리 닭꼬치 만들기

분식집에서 맛있는 닭꼬치를 만들고 있습니다. 알맞은 붙임딱지를 붙여 닭꼬치를 완성해 보세요.

---

② 교과서 개념 다지기

정답과 풀이 p.4

개념1 올림이 없는 (세 자리 수)×(한 자리 수)

01 계산해 보세요.
(1) $320 \times 3 = 960$
(2) $210 \times 4 = 840$

02 계산 결과를 찾아 선으로 이어 보세요.

| 222×3 | | 406 |
| 203×2 | | 666 |

❖ $222 \times 3 = 666$, $203 \times 2 = 406$

03 빈칸에 알맞은 수를 써넣으세요.

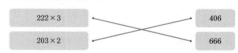

(1) 143 ×2 → 286
(2) 331 ×3 → 993

❖ (1) $143 \times 2 = 286$ (2) $331 \times 3 = 993$

04 혜정이는 동화책을 하루에 112쪽씩 읽었습니다. 혜정이가 4일 동안 읽은 동화책은 모두 몇 쪽인지 구해 보세요.

(448쪽)

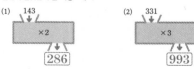

❖ (혜정이가 4일 동안 읽은 동화책의 쪽수)
= (하루에 읽은 동화책의 쪽수) × (읽은 날수)
= $112 \times 4 = 448$(쪽)

개념2 올림이 있는 (세 자리 수)×(한 자리 수)

05 계산해 보세요.

(1)
```
   3 2 4
 ×     3
 ─────────
   9 7 2
```
(2)
```
     4
   4 9 1
 ×     5
 ─────────
 2 4 5 5
```

06 □ 안에 알맞은 수를 써넣으세요.

105 105 105 105
420

❖ $105 \times 4 = 420$

07 빈칸에 알맞은 수를 써넣으세요.

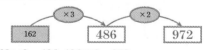

162 ×3 → 486 ×2 → 972

❖ $162 \times 3 = 486$, $486 \times 2 = 972$

08 잘못 계산한 부분을 찾아 바르게 계산해 보세요.

```
   7 1 2
 ×     6
 ─────────
 4 2 6 2
```
→
```
     1
   7 1 2
 ×     6
 ─────────
 4 2 7 2
```

❖ 일의 자리에서 올림한 수를 십의 자리 계산에 더하지 않았습니다.

2 단계 교과서 개념 다지기

정답과 풀이 p.5

개념**3** (몇십)×(몇십), (몇십몇)×(몇십)

09 계산해 보세요.
(1) $20 \times 70 = 1400$　(2) $44 \times 80 = 3520$

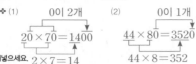

❖ (1) 0이 2개
$20 \times 70 = 1400$
$2 \times 7 = 14$

(2) 0이 1개
$44 \times 80 = 3520$
$44 \times 8 = 352$

10 빈 곳에 두 수의 곱을 써넣으세요.

(1) | 30 | 80 |
2400

(2) | 34 | 60 |
2040

❖ (1) $30 \times 80 = 2400$
(2) $34 \times 60 = 2040$

11 ㉠과 ㉡의 곱을 구해 보세요.

| ㉠ 10이 4개인 수　㉡ 10이 9개인 수 |

(　3600　)

❖ ㉠ 40 ㉡ 90
➡ $40 \times 90 = 3600$

12 저금통에 50원짜리 동전이 43개 있습니다. 저금통에 들어 있는 돈은 모두 얼마인지 구해 보세요.

(　2150원　)

❖ $43 \times 50 = 2150$(원)

개념**4** (몇)×(몇십몇)

13 □ 안에 알맞은 수를 써넣으세요.

		3	4
×			7
	2	8	… 4×7
1	2	0	… 4×30
1	4	8	

❖ 4×7과 4×30을 각각 구하여 더합니다.

14 색칠한 부분은 실제 어떤 수의 곱인지 찾아 ○표 하세요.

			7
×		6	2
		1	4
	4	2	0
	4	3	4

| 7×2 | 7×20 | 70×20 |
| 7×6 | (7×60) | 70×60 |

❖ 색칠한 420은 십의 자리의 계산 7×60의 곱입니다.

15 보기 와 같이 계산해 보세요.

보기
		3
×	2	8
	8	4

(1) | | 2 |
	5
× 1	4
7	0

(2) | | 4 |
	9
× 3	5
3 1	5

❖ (1) 일의 자리 계산 $5 \times 4 = 20$에서 0은 일의 자리에 쓰고 2를 십의 자리로 올림하면 십의 자리 계산은 $5 \times 1 = 5$, $5 + 2 = 7$입니다.
(2) 일의 자리 계산 $9 \times 5 = 45$에서 5는 일의 자리에 쓰고 4를 십의 자리로 올림하면 십의 자리 계산은 $9 \times 3 = 27$, $27 + 4 = 31$입니다.

---

2 단계 교과서 개념 다지기

정답과 풀이 p.5

개념**5** 올림이 한 번 있는 (몇십몇)×(몇십몇)

16 □ 안에 알맞은 수를 써넣으세요.

(1) | | 1 | 9 |
×	1	3
	5	7
1	9	0
2	4	7

(2) | | 2 | 3 |
×	1	4
	9	2
2	3	0
3	2	2

❖ (1) 19×3과 19×10을 각각 구하여 더합니다.
(2) 23×4와 23×10을 각각 구하여 더합니다.

17 잘못 계산한 부분을 찾아 바르게 계산해 보세요.

	1	2
×	8	4
	4	8
	9	6
1	4	4

➡

		1	2
	×	8	4
		4	8
	9	6	0
1	0	0	8

❖ 12×8의 실제 계산은 12×80이므로 960이라고 써야 합니다.

18 길이가 13 cm인 색 테이프 15장을 겹치지 않게 이었습니다. 색 테이프의 전체 길이는 몇 cm인지 구해 보세요.

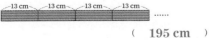

├ 13 cm ┤ 13 cm ┤ 13 cm ┤ 13 cm ┤ ……

(　195 cm　)

❖ $13 \times 15 = 195$ (cm)

개념**6** 올림이 여러 번 있는 (몇십몇)×(몇십몇)

19 계산해 보세요.

(1) | | 2 | 6 |
| × | 5 | 2 |
| 1 3 | 5 | 2 |

❖ (1) | | 2 | 6 |
×	5	2
	5	2
1 3	0	0
1 3 5	2

(2) | | 4 | 5 |
| × | 3 | 3 |
| 1 4 | 8 | 5 |

(2) | | 4 | 5 |
×	3	3
1	3	5
1 3	5	0
1 4 8	5

20 다음 곱셈에서 색칠한 수끼리의 곱이 실제로 나타내는 값은 얼마인지 찾아 기호를 써 보세요.

| | 9 | ④ |
| × | ⑦ | 6 |

㉠ 11　㉡ 28
㉢ 280　㉣ 2800

(　㉢　)

❖ 색칠한 수끼리의 곱은 실제로 $4 \times 70 = 280$을 나타냅니다.

21 빈칸에 알맞은 수를 써넣으세요.

×25

| 67 | | 1675 |
| 89 | | 2225 |

❖ $67 \times 25 = 1675$, $89 \times 25 = 2225$

22 학생들이 한 줄에 16명씩 24줄로 서 있습니다. 줄을 선 학생은 모두 몇 명인지 구해 보세요.

(　384명　)

❖ $16 \times 24 = 384$(명)

③ 단계 교과서 실력 다지기

정답과 풀이 p.6

★ 곱셈에서 실제 계산 알아보기

1 색칠한 부분은 실제 어떤 수의 곱인지 써 보세요.

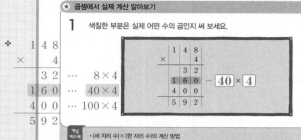

```
    1 4 8
  ×     4
    3 2   … 8×4
  1 6 0   … 40×4
  4 0 0   … 100×4
  5 9 2
```

$\boxed{40} \times \boxed{4}$

개념 피드백 • (세 자리 수)×(한 자리 수)의 계산 방법
① 곱해지는 수의 일의 자리, 십의 자리, 백의 자리 수와 곱하는 수를 각각 곱합니다.
② ①에서 구한 값을 모두 더합니다.

1-1 색칠한 부분은 실제 어떤 수의 곱인지 써 보세요.

```
    2 6 7
  ×     3
      2 1
    1 8 0
    6 0 0
    8 0 1
```
$\boxed{200} \times \boxed{3}$

```
        2 6 7
  ×         3
        2 1   … 7×3
      1 8 0   … 60×3
      6 0 0   … 200×3
      8 0 1
```

1-2 색칠한 부분은 실제 어떤 수의 곱인지 써 보세요.

```
      3 9
  ×   4 5
    1 9 5   $\boxed{39} \times \boxed{5}$
  1 5 6 0   $\boxed{39} \times \boxed{40}$
  1 7 5 5
```

```
        3 9
  ×     4 5
      1 9 5   … 39×5
    1 5 6 0   … 39×40
    1 7 5 5
```

★ 계산 결과 비교하기

2 계산해 보고, 계산 결과를 비교하여 ○ 안에 >, =, <를 알맞게 써넣으세요.

```
  6
× 3 7       × 4 4      5
2 2 2   ⊃   2 2 0
```

개념 피드백 계산 결과를 비교하는 문제에서는 먼저 주어진 식을 계산해 봅니다.

```
    4             2
    6             5
  × 3 7         × 4 4
  2 2 2         2 2 0      → 222 > 220
```

2-1 계산 결과를 비교하여 ○ 안에 >, =, <를 알맞게 써넣으세요.

(1) 5×49 ⊃ 8×32

(2) 53×26 ⊃ 71×34

✤ (1) 5×49=245, 8×32=256 → 245 < 256
(2) 53×26=1378, 71×34=2414 → 1378 < 2414

2-2 계산 결과가 큰 것부터 차례로 기호를 써 보세요.

ⓐ 30×70　ⓑ 216×8
ⓒ 53×43　ⓓ 39×64

(ⓓ, ⓒ, ⓐ, ⓑ)

✤ ⓐ 30×70=2100　ⓑ 216×8=1728
ⓒ 53×43=2279　ⓓ 39×64=2496
→ 2496 > 2279 > 2100 > 1728
　ⓓ　　　 ⓒ　　　 ⓐ　　　 ⓑ

---

③ 단계 교과서 실력 다지기

정답과 풀이 p.6

★ □ 안에 알맞은 수 구하기 (1)

3 □ 안에 알맞은 수를 써넣으세요.

(1)
```
  1 ③ 4
×     2
  2 6 8
```

(2)
```
  3 3 ④
×     2
  6 6 8
```

✤ (1) 4×2=8, 1×2=2에서 올림이 없으므로 십의 자리 계산에서 □×2=6입니다.

개념 피드백 (곱해지는 수의 일의 자리 수)×(곱하는 수), (곱해지는 수의 십의 자리 수)×(곱하는 수), (곱해지는 수의 백의 자리 수)×(곱하는 수)를 각각 계산하여 곱과 비교합니다. → □=3

(2) 3×2=6, 3×2=6에서 올림이 없으므로 일의 자리 계산에서 □×2=8입니다.
→ □=4

3-1 □ 안에 알맞은 수를 구하려고 합니다. 물음에 답하세요.

```
  3 9 □
×     4
1 5 9 2
```

(1) □×4의 계산 결과의 일의 자리 숫자가 2가 되는 □의 값을 모두 구해 보세요.
✤ 3×4=12, 8×4=32　　(3, 8)

(2) □ 안에 알맞은 수를 구해 보세요.
✤ □=3일 때 393×4=1572이고,　(8)
□=8일 때 398×4=1592입니다.
따라서 □ 안에 알맞은 수는 8입니다.

3-2 □ 안에 알맞은 수를 써넣으세요.

```
    ⓐ 5
×   6 ⓑ 4
  3 2 0
```

✤ ⓐ×4의 계산 결과의 일의 자리 숫자가 0이므로 ⓐ에 알맞은 수는 0 또는 5입니다. ⓐ에는 0이 들어갈 수 없으므로 ⓐ에 알맞은 수는 5입니다. 일의 자리 계산 5×4=20에서 십의 자리로 2를 올림해야 하므로 십의 자리 계산에서 5×ⓑ=32−2, 5×ⓑ=30, ⓑ=6입니다.

★ 바르게 계산한 값 구하기

4 어떤 수에 30을 곱해야 할 것을 잘못하여 더했더니 72가 되었습니다. 바르게 계산하면 얼마인지 구해 보세요.

답 ___1260___

개념 피드백 • 바르게 계산한 값을 구하는 순서
① 잘못 계산한 식을 세웁니다.
② 잘못 계산한 식에서 어떤 수를 구합니다.
③ 어떤 수를 이용하여 바르게 계산합니다.

✤ 어떤 수를 □라 하면 잘못 계산한 식은 □+30=72입니다.
→ □=72−30, □=42
따라서 바르게 계산하면 42×30=1260입니다.

4-1 어떤 수에 29를 곱해야 할 것을 잘못하여 뺐더니 60이 되었습니다. 바르게 계산하면 얼마인지 구해 보세요.

(2581)

✤ 어떤 수를 □라 하면 잘못 계산한 식은 □−29=60입니다.
→ □=60+29, □=89
따라서 바르게 계산하면 89×29=2581입니다.

4-2 538에 어떤 수를 곱해야 할 것을 잘못하여 더했더니 541이 되었습니다. 바르게 계산하면 얼마인지 구해 보세요.

(1614)

✤ 어떤 수를 □라 하면 잘못 계산한 식은 538+□=541입니다.
→ □=541−538, □=3
따라서 바르게 계산하면 538×3=1614입니다.

③ 교과서 실력 다지기

★ 수 카드로 곱셈식 만들기

5 주어진 수 카드 3장을 한 번씩 모두 사용하여 계산 결과가 가장 큰 곱셈식을 만들고 계산해 보세요.

개념 피드백
・계산 결과가 가장 큰 (한 자리 수)×(두 자리 수) 만들기
주어진 수의 크기가 ①>②>③일 때 왼쪽과 같이 수를 놓아서 식을 만들면 계산 결과가 가장 큽니다.

❖ 계산 결과가 가장 큰 곱셈식을 만들려면 가장 큰 수를 곱해지는 한 자리에 놓고 두 번째로 큰 수를 곱하는 수의 십의 자리에 놓아야 합니다.

➡ 8>4>3이므로 계산 결과가 가장 큰 곱셈식은 8×43=344입니다.

5-1 주어진 수 카드 3장을 한 번씩 모두 사용하여 계산 결과가 가장 작은 곱셈식을 만들고 계산해 보세요.

❖ 계산 결과가 가장 작은 곱셈식을 만들려면 가장 작은 수를 곱해지는 한 자리에 놓고 두 번째로 작은 수를 곱하는 수의 십의 자리에 놓아야 합니다.

➡ 2<5<6이므로 계산 결과가 가장 작은 곱셈식은 2×56=112입니다.

5-2 주어진 수 카드 4장을 한 번씩 모두 사용하여 계산 결과가 가장 큰 곱셈식을 만들고 계산해 보세요.

 2 6 7 9

➡ 9 2 × 7 6 = 6992 또는 76×92=6992

❖ 계산 결과가 가장 큰 곱셈식을 만들려면 두 수의 십의 자리에 큰 수 9, 7을 각각 놓아야 합니다. 남은 수 2와 6을 일의 자리에 놓고 곱셈식을 만들면 92×76=6992, 96×72=6912입니다.
따라서 계산 결과가 가장 큰 곱셈식은 92×76=6992입니다.
(이때 곱하는 두 수를 바꾸어 써도 됩니다.)

★ ☐ 안에 알맞은 수 구하기 (2)

6 ☐ 안에 들어갈 수 있는 수를 모두 찾아 ○표 하세요.

☐ × 37 > 250

(1 , 2 , 3 , 4 , 5 , 6 , ⑦ , ⑧ , ⑨)

개념 피드백
곱셈의 계산 결과를 비교하는 문제에서는 곱하는 수를 어림하여 계산하면 ☐ 안에 알맞은 수를 찾는 데 편리합니다.

❖ 37을 40으로 어림하면 7×40=280>250,
6×40=240<250이므로 ☐ 안에 6부터 넣어 계산해 봅니다.
6×37=222<250, 7×37=259>250이므로 ☐ 안에 들어갈 수 있는 수는 7, 8, 9입니다.

6-1 ☐ 안에 들어갈 수 있는 수를 모두 찾아 ○표 하세요.

714 × ☐ > 3000

(1 , 2 , 3 , 4 , ⑤ , ⑥ , ⑦ , ⑧ , ⑨)

❖ 714를 700으로 어림하면 700×4=2800<3000,
700×5=3500>3000이므로 ☐ 안에 4부터 넣어 계산해 봅니다.
714×4=2856<3000, 714×5=3570>3000이므로
☐ 안에 들어갈 수 있는 수는 5, 6, 7, 8, 9입니다.

6-2 ☐ 안에 들어갈 수 있는 수를 모두 찾아 ○표 하세요.

421 × ☐ < 1300

(① , ② , ③ , 4 , 5 , 6 , 7 , 8 , 9)

❖ 421을 400으로 어림하면 400×3=1200<1300,
400×4=1600>1300이므로 ☐ 안에 4부터 넣어 계산해 봅니다.
421×4=1684>1300, 421×3=1263<1300이므로
☐ 안에 들어갈 수 있는 수는 3, 2, 1입니다.

Test 교과서 서술형 연습

1 윤주는 370원짜리 지우개를 6개 사고 3000원을 냈습니다. 윤주가 받아야 할 거스름돈은 얼마인지 구해 보세요.

✏ 구하려는 것, 주어진 것에 선을 그어 봅니다.

해결하기 지우개 6개의 값은 370×6= **2220** (원)입니다.
따라서 윤주가 받아야 할 거스름돈은
3000− **2220** = **780** (원)입니다.

답 구하기 **780원**

2 민호는 490원짜리 엽서를 9장 사고 5000원을 냈습니다. 민호가 받아야 할 거스름돈은 얼마인지 구해 보세요. 주어진 것   구하려는 것

✏ 구하려는 것, 주어진 것에 선을 그어 봅니다.

해결하기 **예** 엽서 9장의 값은 490×9=4410(원)입니다.
따라서 민호가 받아야 할 거스름돈은
5000−4410=590(원)입니다.

답 구하기 **590원**

3 빨간색 구슬은 한 주머니에 37개씩 40주머니가 있고, 파란색 구슬은 한 주머니에 43개씩 36주머니가 있습니다. 빨간색 구슬과 파란색 구슬은 모두 몇 개인지 구해 보세요.

✏ 구하려는 것, 주어진 것에 선을 그어 봅니다.

해결하기 빨간색 구슬의 수는 37×40= **1480** 개이고,
파란색 구슬의 수는 43×36= **1548** 개입니다.
따라서 빨간색 구슬과 파란색 구슬은 모두
1480 + **1548** = **3028** 개입니다.

답 구하기 **3028개**

4 채소 가게에 오이는 한 상자에 115개씩 8상자가 있고, 가지는 한 상자에 219개씩 7상자가 있습니다. 채소 가게에 있는 오이와 가지는 모두 몇 개인지 구해 보세요. 주어진 것   구하려는 것

✏ 구하려는 것, 주어진 것에 선을 그어 봅니다.

해결하기 **예** 오이의 수는 115×8=920(개)이고,
가지의 수는 219×7=1533(개)입니다.
따라서 오이와 가지는 모두
920+1533=2453(개)입니다.

답 구하기 **2453개**

PLAY 사고력 개념 스토리 — 우리나라 돈으로 바꾸기

외국 돈을 우리나라 돈으로 바꾸어 지갑에 넣어 보세요.

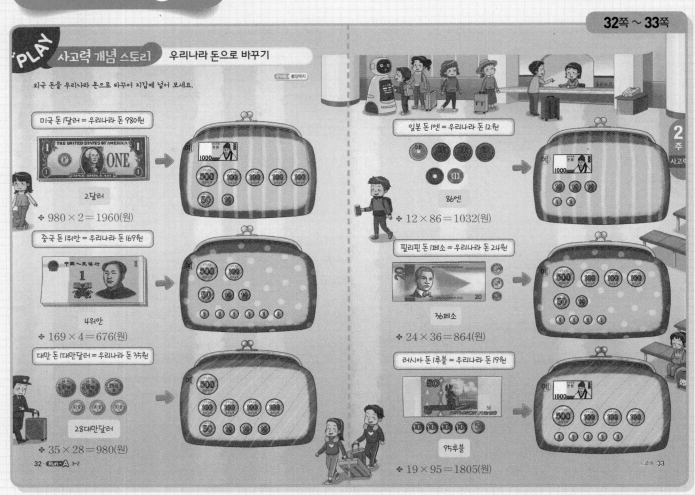

미국 돈 1달러 = 우리나라 돈 980원

2달러

✧ $980 \times 2 = 1960$(원)

중국 돈 1위안 = 우리나라 돈 169원

4위안

✧ $169 \times 4 = 676$(원)

대만 돈 1대만달러 = 우리나라 돈 35원

28대만달러

✧ $35 \times 28 = 980$(원)

일본 돈 1엔 = 우리나라 돈 12원

86엔

✧ $12 \times 86 = 1032$(원)

필리핀 돈 1페소 = 우리나라 돈 24원

36페소

✧ $24 \times 36 = 864$(원)

러시아 돈 1루블 = 우리나라 돈 19원

95루블

✧ $19 \times 95 = 1805$(원)

32 · Run - Ⓐ 3-2

1. 곱셈 · 33

PLAY 사고력 개념 스토리 — 초밥 만들기

알맞은 붙임딱지를 붙여 초밥을 만들어 보고, 같은 횟수만큼 올림이 있는 초밥을 알아보세요.

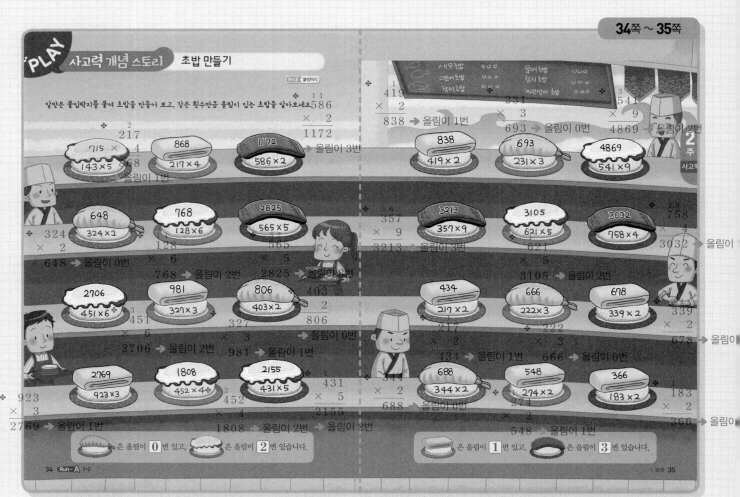

$$\begin{array}{r} 2 \\ 217 \\ 715 \times 4 \\ 143 \times 5 \\ 868 \\ 217 \times 4 \end{array}$$

올림이 1번

$$\begin{array}{r} 11 \\ 586 \\ \times\ 2 \\ \hline 1172 \end{array}$$

1172 / 586×2 → 올림이 3번

$$\begin{array}{r} 1 \\ 419 \\ \times\ 2 \\ \hline 838 \end{array}$$ → 올림이 1번

838 / 419×2

$$\begin{array}{r} 231 \\ \times\ 3 \\ \hline 693 \end{array}$$ → 올림이 0번

693 / 231×3

$$\begin{array}{r} 3 \\ 541 \\ \times\ 9 \\ \hline 4869 \end{array}$$ → 올림이 2번

4869 / 541×9

648 / 324×2

$$\begin{array}{r} 324 \\ \times\ 2 \\ \hline 648 \end{array}$$ → 올림이 0번

768 / 128×6

$$\begin{array}{r} 128 \\ \times\ 6 \\ \hline 768 \end{array}$$ → 올림이 2번

2825 / 565×5

$$\begin{array}{r} 565 \\ \times\ 5 \\ \hline 2825 \end{array}$$ → 올림이 2번

$$\begin{array}{r} 5\ 6 \\ 357 \\ \times\ 9 \\ \hline 3213 \end{array}$$ → 올림이 3번

3213 / 357×9

3105 / 621×5

$$\begin{array}{r} 621 \\ \times\ 5 \\ \hline 3105 \end{array}$$ → 올림이 2번

3032 / 758×4

$$\begin{array}{r} 758 \\ \times\ 4 \\ \hline 3032 \end{array}$$ → 올림이

2706 / 451×6

$$\begin{array}{r} 3 \\ 451 \\ \times\ 6 \\ \hline 2706 \end{array}$$ → 올림이 2번

981 / 327×3

$$\begin{array}{r} 327 \\ \times\ 3 \\ \hline 981 \end{array}$$ → 올림이 1번

806 / 403×2

$$\begin{array}{r} 403 \\ \times\ 2 \\ \hline 806 \end{array}$$ → 올림이 0번

434 / 217×2

$$\begin{array}{r} 217 \\ \times\ 2 \\ \hline 434 \end{array}$$ → 올림이 1번

666 / 222×3

$$\begin{array}{r} 222 \\ \times\ 3 \\ \hline 666 \end{array}$$ → 올림이 0번

678 / 339×2

$$\begin{array}{r} 339 \\ \times\ 2 \\ \hline 678 \end{array}$$ → 올림이

2769 / 923×3

$$\begin{array}{r} 923 \\ \times\ 3 \\ \hline 2769 \end{array}$$ → 올림이 1번

1808 / 452×4

$$\begin{array}{r} 452 \\ \times\ 4 \\ \hline 1808 \end{array}$$ → 올림이 2번

2155 / 431×5

$$\begin{array}{r} 431 \\ \times\ 5 \\ \hline 2155 \end{array}$$ → 올림이 2번

688 / 344×2

$$\begin{array}{r} 344 \\ \times\ 2 \\ \hline 688 \end{array}$$ → 올림이 0번

548 / 274×2

$$\begin{array}{r} 274 \\ \times\ 2 \\ \hline 548 \end{array}$$ → 올림이 1번

366 / 183×2

$$\begin{array}{r} 183 \\ \times\ 2 \\ \hline 366 \end{array}$$ → 올림이

⬭ 은 올림이 **0** 번 있고, 〰 은 올림이 **2** 번 있습니다.

⬭ 은 올림이 **1** 번 있고, 〰 은 올림이 **3** 번 있습니다.

34 · Run - Ⓐ 3-2

1. 곱셈 35

1단계 교과 사고력 잡기

정답과 풀이 p.9

1 직사각형 모양의 화단이 있습니다. 세로가 235 cm이고 가로는 세로의 2배입니다. 이 화단의 네 변의 길이의 합은 몇 cm인지 구해 보세요.

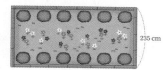

235 cm

❶ 화단의 네 변의 길이의 합은 세로의 몇 배일까요?

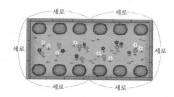

세로

(**6배**)

✿ 화단의 네 변의 길이의 합은 세로의 6배입니다.

❷ 화단의 네 변의 길이의 합은 몇 cm일까요?

(**1410 cm**)

✿ $235 \times 6 = 1410$ (cm)

2 길의 양쪽에 처음부터 끝까지 25 m 간격으로 가로등을 40개 세웠습니다. 이 길은 몇 m인지 구해 보세요. (단, 가로등의 굵기는 생각하지 않습니다.)

25 m

❶ 길의 한쪽에 세운 가로등은 몇 개일까요?

(**20개**)

✿ 길의 양쪽에 세운 가로등이 40개이고 $20+20=40$이므로 길의 한쪽에 세운 가로등은 20개입니다.

❷ 길의 한쪽에는 가로등과 가로등 사이의 간격 수가 몇 군데일까요?

(**19군데**)

✿ (가로등과 가로등 사이의 간격 수)=(가로등 수)−1
$= 20-1=19$(군데)

❸ 이 길은 몇 m일까요?

(**475 m**)

✿ $25 \times 19 = 475$ (m)

1단계 교과 사고력 잡기

정답과 풀이 p.9

3 길이가 20 cm인 색 테이프 30장을 4 cm씩 겹쳐서 이어 붙였습니다. 이어 붙인 색 테이프 전체의 길이는 몇 cm인지 구해 보세요.

20 cm   20 cm   20 cm
4 cm   4 cm

❶ 길이가 20 cm인 색 테이프 30장의 길이의 합은 몇 cm일까요?

(**600 cm**)

✿ $20 \times 30 = 600$ (cm)

❷ 색 테이프가 겹친 부분은 몇 군데일까요?

(**29군데**)

✿ 겹친 부분은 $30-1=29$(군데)입니다.

❸ 겹친 부분의 길이의 합은 몇 cm일까요?

(**116 cm**)

✿ $4 \times 29 = 116$ (cm)

❹ 이어 붙인 색 테이프 전체의 길이는 몇 cm일까요?

(**484 cm**)

✿ $600-116=484$ (cm)

4 준영이와 친구들이 한 달 동안 50원짜리 동전을 모았습니다. 준영이와 친구들이 모은 돈은 모두 얼마인지 구해 보세요.

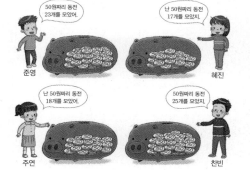

준영 — 50원짜리 동전 23개를 모았어.
혜진 — 난 50원짜리 동전 17개를 모았지.
주연 — 난 50원짜리 동전 18개를 모았어.
찬빈 — 50원짜리 동전 25개를 모았지.

❶ 준영이와 친구들이 모은 50원짜리 동전은 모두 몇 개일까요?

(**83개**)

✿ $23+17+18+25=83$(개)

❷ 준영이와 친구들이 모은 돈은 모두 얼마일까요?

(**4150원**)

✿ $83 \times 50 = 4150$(원)

2단계 교과 사고력 확장

정답과 풀이 p.10

1 각각의 동물이 주어진 수만큼 있습니다. 각 동물의 다리는 모두 몇 개인지 찾아 선으로 이어 보세요.

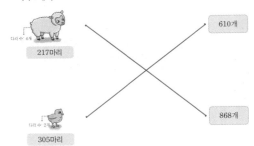

÷ 양: $217 \times 4 = 868$(개)
병아리: $305 \times 2 = 610$(개)
코끼리: $114 \times 4 = 456$(개)
문어: $623 \times 8 = 4984$(개)

40 · Run - A 3-2

2 음식점에서 보기와 같이 올림한 횟수가 적은 순서대로 음식이 나오고 있습니다. 음식이 나오는 순서대로 ○ 안에 1, 2, 3을 써 보세요.

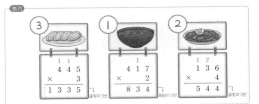

✤ 올림한 횟수가 1번, 2번, 3번의 순서로 음식이 나옵니다.

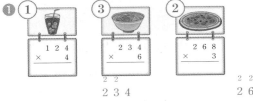

❶
$$\begin{array}{r} 1\,2\,4 \\ \times \quad 4 \\ \hline 4\,9\,6 \end{array}$$ → 올림이 1번

$$\begin{array}{r} 2\,3\,4 \\ \times \quad 6 \\ \hline 1\,4\,0\,4 \end{array}$$ → 올림이 3번

$$\begin{array}{r} 2\,6\,8 \\ \times \quad 3 \\ \hline 8\,0\,4 \end{array}$$ → 올림이 2번

❷
$$\begin{array}{r} 4\,6\,8 \\ \times \quad 2 \\ \hline 9\,3\,6 \end{array}$$ → 올림이 2번

$$\begin{array}{r} 1\,2\,6 \\ \times \quad 3 \\ \hline 3\,7\,8 \end{array}$$ → 올림이 1번

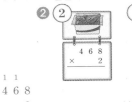

$$\begin{array}{r} 2\,9\,6 \\ \times \quad 5 \\ \hline 1\,4\,8\,0 \end{array}$$ → 올림이

1. 곱셈 · 41

2단계 교과 사고력 확장

정답과 풀이 p.10

3 사다리를 타고 내려 가면서 곱셈을 계산하여 빈칸에 알맞은 수를 써넣으세요.

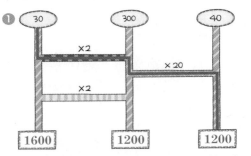

❶ ÷ $40 \times 20 = 800$, $800 \times 2 = 1600$
÷ $300 \times 2 = 600$, $600 \times 2 = 1200$
÷ $30 \times 2 = 60$, $60 \times 20 = 1200$

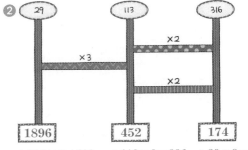

❷ ÷ $316 \times 2 = 632$, $632 \times 3 = 1896$
÷ $113 \times 2 = 226$, $226 \times 2 = 452$
÷ $29 \times 3 = 87$, $87 \times 2 = 174$

42 · Run - A 3-2

4 굵기가 일정한 통나무를 27도막으로 자르려고 합니다. 통나무를 한 번 자르는 데 14분이 걸리고, 한 번 자른 후에는 3분씩 쉰 다음 다시 자릅니다. 이 통나무를 27도막으로 자르는 데 걸리는 시간은 모두 몇 분인지 구해 보세요. (단, 통나무를 마지막으로 자른 후에는 쉬지 않습니다.)

❶ 통나무를 27도막으로 자르기만 하는 데 걸리는 시간은 몇 분일까요?

(**364분**)

✤ 통나무를 27도막으로 자르려면 $27 - 1 = 26$(번) 잘라야 합니다.
한 번 자르는 데 14분씩 26번 잘라야 하므로 자르기만 하는 데 걸리는 시간은 $14 \times 26 = 364$(분)입니다.

❷ 통나무를 27도막으로 자르는 동안 쉬는 시간은 몇 분일까요?

(**75분**)

✤ 통나무를 26번 잘라야 하고 마지막으로 자른 후에는 쉬지 않으므로 $26 - 1 = 25$(번) 쉬게 됩니다.
한 번 쉬는 데 3분씩 25번 쉬게 되므로 쉬는 시간은 $3 \times 25 = 75$(분)입니다.

❸ 통나무를 27도막으로 자르는 데 걸리는 시간은 모두 몇 분일까요?

(**439분**)

✤ $364 + 75 = 439$(분)

1. 곱셈 · 43

 **3** 단계 교과 사고력 완성

평가 영역 ☑개념 이해력 ☑개념 응용력 □창의력 □문제 해결력

1 ㉮☆㉯를 다음과 같이 약속하여 계산할 때 주어진 식을 계산해 보세요.

㉮☆㉯=(㉮와 ㉯의 합)×(㉮와 ㉯의 차)

❶ 325☆318=**4501**
❖ 325+318=643이고
325−318=7이므로
주어진 식을 계산하면
643×7=4501입니다.

❷ 452☆449=**2703**
❖ 452+449=901이고
452−449=3이므로
주어진 식을 계산하면
901×3=2703입니다.

평가 영역 □개념 이해력 □개념 응용력 ☑창의력 □문제 해결력

2 보기를 보고 규칙을 찾아 빈칸에 알맞은 수를 써넣으세요.

❖ 위의 두 숫자를 차례로 써서 만든 두 자리 수와 아래의 두 숫자를 차례로 써서 만든 두 자리 수의 곱을 구하는 규칙입니다. ➡ 23×46=1058, 15×63=945

❶ 1116
❖ 62×18=1116

❷ 2912
❖ 91×32=2912

44 · Run−A 3−2

정답과 풀이 p.11

평가 영역 □개념 이해력 ☑개념 응용력 □창의력 □문제 해결력

3 17세기 영국의 수학자인 네이피어(John Napier)는 다음과 같은 곱셈 방법을 사용하여 계산을 하였습니다.

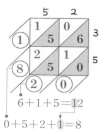

43×39=1677

표의 위쪽과 오른쪽에 곱하는 두 수를 씁니다.

가로, 세로로 만나는 두 숫자를 곱하여 표 안에 씁니다.

대각선 방향의 숫자의 합을 오른쪽 아래부터 차례로 구합니다. 합이 10과 같거나 10보다 큰 경우에는 받아올림합니다.

네이피어의 곱셈 방법을 사용하여 표의 빈 곳에 알맞은 수를 쓰고 곱셈의 계산 결과를 구해 보세요.

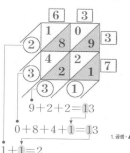

❶ 52×35=**1820**
6+1+5=12
0+5+2+1=8

❷ 63×37=**2331**
9+2+2=13
0+8+4+1=13
1+1=2

1. 곱셈 · 45

Test 종합평가　1. 곱셈　맞은 개수

정답과 풀이 p.11

1 □안에 알맞은 수를 써넣으세요.

❖ (몇)×(몇십몇)은 (몇)×(몇)과 (몇)×(몇십)으로 나누어서 곱한 뒤 더합니다.

2 □안의 숫자 1이 실제로 나타내는 수는 얼마인지 써 보세요.

(**10**)

❖ 일의 자리 계산 2×5=10에서 십의 자리로 올림한 수이므로 실제로는 10을 나타냅니다.

3 계산해 보세요.

(1)
```
    2 4 3
  ×     2
  ─────────
    4 8 6
```

(2)
```
      3 2
    1 8 7
  ×     4
  ─────────
    7 4 8
```

(3) 56×30=**1680**

(4) 48×25=**1200**

❖ (3)
56×30=1680
56×3=168

(4)
```
      4 8
    × 2 5
  ─────────
    2 4 0
    9 6 0
  ─────────
  1 2 0 0
```

46 · Run−A 3−2

---

4 다음을 곱셈식으로 나타내어 계산해 보세요.

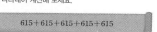

615+615+615+615+615

식　615×5=3075

답　3075

❖ 615를 5번 더했으므로 615×5로 계산할 수 있습니다.

5 잘못 계산한 부분을 찾아 바르게 계산해 보세요.

```
    3 1        3 1
  × 9 3      × 9 3
  ───────    ───────
    9 3         9 3
  2 7 9      2 7 9 0
  ───────    ───────
  3 7 2      2 8 8 3
```

❖ 31×9를 계산하는 것이 아니라 31×90을 계산해야 합니다.

6 가장 큰 수와 가장 작은 수의 곱을 구해 보세요.

| 27 | 40 | 39 | 56 |

(**1512**)

❖ 56>40>39>27이므로 가장 큰 수는 56, 가장 작은 수는 27입니다. ➡ 56×27=1512

7 계산 결과를 비교하여 ○ 안에 >, =, <를 알맞게 써넣으세요.

397×4 56×38

❖ 397×4=1588, 56×38=2128 ➡ 1588<2128

1. 곱셈 · 47

Test 종합평가 1. 곱셈

정답과 풀이 p.12

8 빈칸에 알맞은 수를 써넣으세요.

34 → ×15 → 510 → ×8 → 4080

❖ $34 × 15 = 510$, $510 × 8 = 4080$

9 빈칸에 알맞은 수를 써넣으세요.

⊗ →		
90	40	3600
50	60	3000
4500	2400	

❖ $90 × 40 = 3600$, $50 × 60 = 3000$
$90 × 50 = 4500$, $40 × 60 = 2400$

10 학생들이 한 줄에 9명씩 43줄로 서 있습니다. 줄을 선 학생은 모두 몇 명인지 두 가지 방법으로 계산해 보세요.

방법1
$9 × 43$
27
360
387

방법2
$43 × 9$
387

❖ $9 × 43$과 $43 × 9$는 같습니다.

11 골프공이 한 상자에 255개씩 들어 있습니다. 4상자에 들어 있는 골프공은 모두 몇 개인지 식을 쓰고 답을 구해 보세요.

식 $255 × 4 = 1020$
답 1020개

❖ (한 상자에 들어 있는 골프공 수) × (상자 수)
$= 255 × 4 = 1020$(개)

12 영진이는 매일 윗몸 일으키기를 45번씩 합니다. 영진이가 4주 동안 한 윗몸 일으키기는 모두 몇 번인지 구해 보세요.

(1260번)

❖ 1주일은 7일이므로 4주는 $7 × 4 = 28$(일)입니다.
→ $45 × 28 = 1260$(번)

13 계산 결과가 큰 것부터 차례로 기호를 써 보세요.

㉠ 471 × 5   ㉡ 32 × 48   ㉢ 79 × 29

(㉠, ㉢, ㉡)

❖ ㉠ $471 × 5 = 2355$
㉡ $32 × 48 = 1536$ → $\underset{㉠}{2355} > \underset{㉢}{2291} > \underset{㉡}{1536}$
㉢ $79 × 29 = 2291$

14 □ 안에 알맞은 수를 써넣으세요.

	3	5	6
×			4
1	4	2	4

❖ 일의 자리 계산은 $6 × 4 = 24$이므로 일의 자리에서 십의 자리로 올림한 수는 2이고, 백의 자리 계산은 $3 × 4 = 12$이므로 십의 자리에서 백의 자리로 올림한 수는 $14 - 12 = 2$입니다.
따라서 십의 자리 계산에서 □ × 4 = 22 - 2, □ × 4 = 20, □ = 5입니다.

Test 종합평가 1. 곱셈

정답과 풀이 p.12

15 직사각형 모양의 사방치기 놀이판이 있습니다. 세로가 104 cm이고 가로는 세로의 3배입니다. 이 놀이판의 네 변의 길이의 합은 몇 cm인지 구해 보세요.

(832 cm)

❖ 사방치기 놀이판의 네 변의 길이의 합은 오른쪽과 같이 세로의 8배입니다.

→ $104 × 8 = 832$ (cm)

16 민현이와 영은이가 한 달 동안 50원짜리 동전을 모았습니다. 민현이와 영은이가 모은 돈은 모두 얼마인지 구해 보세요.

난 50원짜리 동전 24개를 모았어.
민현

난 50원짜리 동전 18개를 모았어.
영은

(2100원)

❖ 민현이와 영은이가 모은 50원짜리 동전은 $24 + 18 = 42$(개)입니다.
따라서 민현이와 영은이가 모은 돈은 모두 $42 × 50 = 2100$(원)입니다.

17 주어진 4장의 수 카드를 한 번씩 모두 사용하여 (두 자리 수) × (두 자리 수)의 곱셈식을 만들고 있습니다. 계산 결과가 가장 큰 경우와 계산 결과가 가장 작은 경우의 계산 결과를 각각 구해 보세요.

3   5   6   8

계산 결과가 가장 큰 경우 (5395)
계산 결과가 가장 작은 경우 (2088)

❖ 계산 결과가 가장 큰 경우: $83 × 65 = 5395$ 또는 $65 × 83 = 5395$
계산 결과가 가장 작은 경우: $36 × 58 = 2088$ 또는 $58 × 36 = 2088$

특강 창의·융합 사고력

정답과 풀이 p.12

문살 곱셈법은 창살문의 문살과 문살이 만나는 점의 개수를 세어 곱셈을 합니다.
문살 곱셈법으로 $35 × 14$를 계산하면 다음과 같습니다.

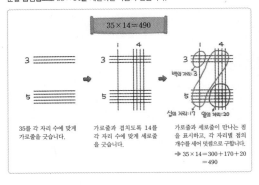

$35 × 14 = 490$

3
5

35를 각 자리 수에 맞게 가로줄을 긋습니다.

가로줄과 겹치도록 14를 각 자리 수에 맞게 세로줄을 긋습니다.

가로줄과 세로줄이 만나는 점을 표시하고, 각 자리별 점의 개수를 세어 덧셈으로 구합니다.
→ $35 × 14 = 300 + 170 + 20 = 490$

문살 곱셈법으로 다음을 계산해 보세요.

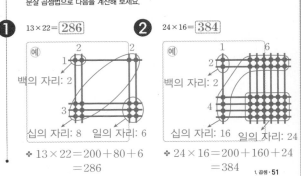

1 $13 × 22 = $ 286

예

백의 자리: 2
십의 자리: 8   일의 자리: 6

❖ $13 × 22 = 200 + 80 + 6 = 286$

2 $24 × 16 = $ 384

예

백의 자리: 2
십의 자리: 16   일의 자리: 24

❖ $24 × 16 = 200 + 160 + 24 = 384$

2 나눗셈

생활 속 나눗셈 검산 이야기

계산을 한 후 계산 결과가 맞는지 확인하는 일을 검산이라고 합니다. 나눗셈을 한 후 맞는지 확인하는 방법은 나누는 수와 몫의 곱에 나머지를 더하면 나누어지는 수가 되면 됩니다.

정호의 형은 사탕을 정호에게 주면서 친구들과 나누어 먹으라고 했습니다. 정호는 친한 친구 2명과 형이 준 사탕을 똑같이 5개씩 나누어 가졌더니 사탕이 2개 남았습니다. 형이 정호에게 준 사탕은 몇 개였는지 구해 볼까요?

→ $5 \times 3 = \boxed{15}$ $\boxed{15} + 2 = \boxed{17}$

똑같이 두 묶음으로 나누기 전 처음 사탕의 수를 찾아 선으로 이어 보세요.

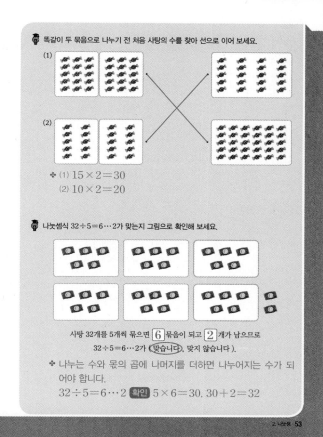

❖ (1) $15 \times 2 = 30$
  (2) $10 \times 2 = 20$

나눗셈식 $32 \div 5 = 6 \cdots 2$가 맞는지 그림으로 확인해 보세요.

사탕 32개를 5개씩 묶으면 $\boxed{6}$ 묶음이 되고 $\boxed{2}$개가 남으므로 $32 \div 5 = 6 \cdots 2$가 (맞습니다 , 맞지 않습니다).

❖ 나누는 수와 몫의 곱에 나머지를 더하면 나누어지는 수가 되어야 합니다.
  $32 \div 5 = 6 \cdots 2$ 확인 $5 \times 6 = 30$, $30 + 2 = 32$

---

1 단계 교과서 개념 잡기

정답과 풀이 p.13

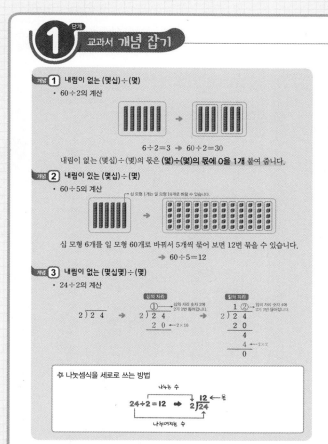

개념 1 내림이 없는 (몇십)÷(몇)
• $60 \div 2$의 계산

$6 \div 2 = 3$ $60 \div 2 = 30$
내림이 없는 (몇십)÷(몇)의 몫은 (몇)÷(몇)의 몫에 0을 1개 붙여 줍니다.

개념 2 내림이 있는 (몇십)÷(몇)
• $60 \div 5$의 계산

십 모형 6개를 일 모형 60개로 바꿔서 5개씩 묶어 보면 12번 묶을 수 있습니다.
→ $60 \div 5 = 12$

개념 3 내림이 없는 (몇십몇)÷(몇)
• $24 \div 2$의 계산

❖ 나눗셈식을 세로로 쓰는 방법
$24 \div 2 = 12$ →

개념 확인 문제

1-1 □ 안에 알맞은 수를 써넣으세요.
(1) $9 \div 9 = \boxed{1}$ → $90 \div 9 = \boxed{10}$
(2) $4 \div 2 = \boxed{2}$ → $40 \div 2 = \boxed{20}$

❖ 나누는 수는 그대로이고 나누어지는 수가 10배가 되면 몫도 10배가 됩니다.

2-1 계산해 보세요.
(1) $30 \div 2 = 15$ (2) $90 \div 6 = 15$
(3) $70 \div 5 = 14$ (4) $60 \div 4 = 15$

❖ (1) 30은 2씩 15번 묶을 수 있습니다. → $30 \div 2 = 15$
  (3) 70은 5씩 14번 묶을 수 있습니다. → $70 \div 5 = 14$

3-1 수 모형을 보고 □ 안에 알맞은 수를 써넣으세요.

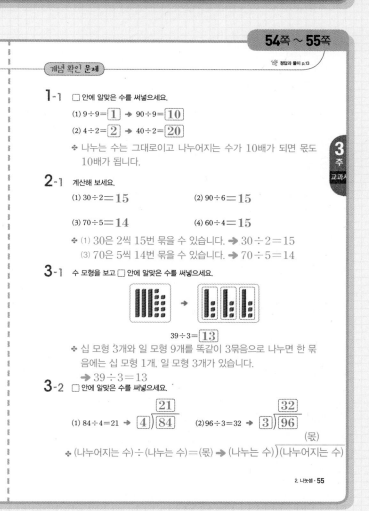

$39 \div 3 = \boxed{13}$

❖ 십 모형 3개와 일 모형 9개를 똑같이 3묶음으로 나누면 한 묶음에는 십 모형 1개, 일 모형 3개가 있습니다.
→ $39 \div 3 = 13$

3-2 □ 안에 알맞은 수를 써넣으세요.
(1) $84 \div 4 = 21$ → $4)\overline{84}$ $\boxed{21}$ (2) $96 \div 3 = 32$ → $3)\overline{96}$ $\boxed{32}$
(몫)

❖ (나누어지는 수)÷(나누는 수)=(몫) → (나누는 수))(나누어지는 수)

정답과 풀이 · **13**

①단계 교과서 개념 잡기

개념 ④ 내림이 있고 나머지가 없는 (몇십몇)÷(몇)

• 52÷4의 계산

$$4\overline{)52} \rightarrow 4\overline{)52} \rightarrow 4\overline{)52}$$
(십의 자리 / 일의 자리 과정)

십의 자리에서 5를 4로 나누고, 남는 1 즉, 10과 일의 자리 2를 합친 12를 4로 나누면 몫은 13입니다. ➡ 52÷4=13

개념 ⑤ 내림이 있고 나머지가 있는 (몇십몇)÷(몇) – 몫이 한 자리 수

• 19÷5의 계산

일 모형 19개를 5개씩 묶으면 3묶음이 되고, 4개가 남습니다.
➡ 19÷5=3···4

19를 5로 나누면 몫은 3이고 4가 남습니다.
이때 4를 19÷5의 나머지라고 합니다.

$$19÷5=3···4 \rightarrow 5\overline{)19}$$

나머지가 없으면 나머지가 0이라고 말할 수 있습니다.
나머지가 0일 때, 나누어떨어진다고 합니다.

56 · Run - Ⓐ 3-2

개념 확인 문제

정답과 풀이 p.14

4-1 수 모형을 보고 □ 안에 알맞은 수를 써넣으세요.

36÷2=[18]

❖ 십 모형 1개를 일 모형 10개로 바꾸면 십 모형 2개와 일 모형 16개가 됩니다. 십 모형 2개와 일 모형 16개를 똑같이 2묶음으로 나누면 한 묶음에는 십 모형 1개, 일 모형 8개가 있습니다. ➡ 36÷2=18

4-2 □ 안에 알맞은 수를 써넣으세요.

(1)
$$3\overline{)48} = 16$$
[3] ← 3×10
[18]
[18] ← 3×6
0

(2)
$$6\overline{)72} = 12$$
[6] ← 6×10
[12]
[12] ← 6×2
0

5-1 계산해 보세요.

❖ (1)
$$4\overline{)23} = 5···3$$
20
3

(2)
$$5\overline{)33} = 6···3$$
30
3

5-2 나눗셈의 몫과 나머지를 구해 보세요.

46÷6

❖
$$6\overline{)46} = 7$$
42
4

몫 (7)
나머지 (4)

2. 나눗셈 · 57

①단계 교과서 개념 잡기

개념 ⑥ 내림이 있고 나머지가 있는 (몇십몇)÷(몇) – 몫이 두 자리 수

• 59÷4의 계산

① 수 모형으로 알아보기

59÷4=14···3

② 세로로 계산하기

$$4\overline{)59} \rightarrow 4\overline{)59} \rightarrow 4\overline{)59}$$
40
19
16
3

개념 ⑦ 나머지가 없는 (세 자리 수)÷(한 자리 수)

• 320÷2의 계산

$$2\overline{)320} \rightarrow 2\overline{)320} \rightarrow 2\overline{)320} = 160$$

백의 자리부터 차례로 나눕니다. ➡ 320÷2=160

• 165÷5의 계산

$$5\overline{)165} \rightarrow 5\overline{)165} \rightarrow 5\overline{)165} = 33$$

(백의 자리에서는 나눌 수 없어요.)

백의 자리에서 1을 5로 나눌 수 없으므로 십의 자리에서 16을 5로 나누고, 남는 1, 즉 10과 일의 자리 5를 합친 15를 5로 나눕니다. ➡ 165÷5=33

58 · Run - Ⓐ 3-2

개념 확인 문제

정답과 풀이 p.14

6-1 □ 안에 알맞은 수를 써넣으세요.

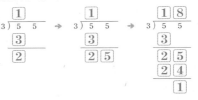

$$3\overline{)55} \rightarrow 3\overline{)55} \rightarrow 3\overline{)55}$$
[1] [1] [18]
[3] [3] [3]
[2] [25] [25]
[24]
[1]

6-2 계산해 보세요.

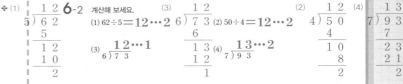

❖ (1) 62÷5=12···2
(2) 50÷4=12···2
(3) 73÷6=12···1
(4) 93÷7=13···2

7-1 □ 안에 알맞은 수를 써넣으세요.

(1)
$$3\overline{)480} = 160$$
[3]
[18]
[18]
0

(2)
$$2\overline{)126} = 63$$
[12]
[6]
[6]
0

7-2 빈 곳에 나눗셈의 몫을 써넣으세요.

(1) 175÷5 → 35
(2) 645÷3 → 215

❖ (1) 175÷5=35 (2) 645÷3=215

2. 나눗셈 · 59

1 교과서 개념 잡기

정답과 풀이 p.15

개념확인 문제

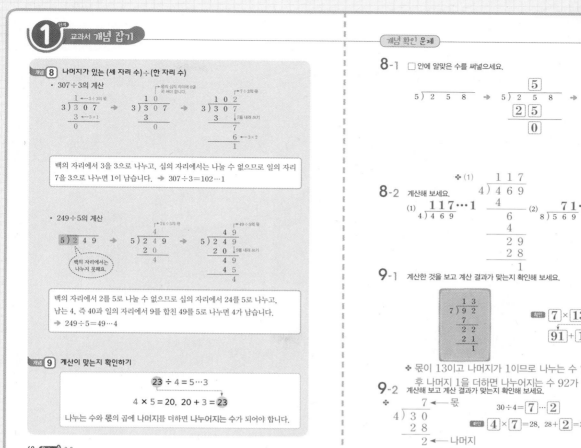

개념 8 나머지가 있는 (세 자리 수)÷(한 자리 수)

• 307÷3의 계산

백의 자리에서 3을 3으로 나누고, 십의 자리에서는 나눌 수 없으므로 일의 자리 7을 3으로 나누면 1이 남습니다. ➡ 307÷3=102…1

• 249÷5의 계산

백의 자리에서 2를 5로 나눌 수 없으므로 십의 자리에서 24를 5로 나누고, 남는 4, 즉 40과 일의 자리에 9를 합친 49를 5로 나누면 4가 남습니다.
➡ 249÷5=49…4

개념 9 계산이 맞는지 확인하기

$$23 \div 4 = 5\cdots3$$
$$4 \times 5 = 20,\ 20 + 3 = 23$$

나누는 수와 몫의 곱에 나머지를 더하면 나누어지는 수가 되어야 합니다.

8-1 □ 안에 알맞은 수를 써넣으세요.

8-2 계산해 보세요.

(1) $117\cdots1$
(2) $71\cdots1$

9-1 계산한 것을 보고 계산 결과가 맞는지 확인해 보세요.

확인 $7 \times 13 = 91$, $91 + 1 = 92$

✦ 몫이 13이고 나머지가 1이므로 나누는 수 7과 몫 13을 곱한 후 나머지 1을 더하면 나누어지는 수 92가 됩니다.

9-2 계산해 보고 계산 결과가 맞는지 확인해 보세요.

$30 \div 4 = 7\cdots2$

확인 $4 \times 7 = 28$, $28 + 2 = 30$

나누는 수와 몫의 곱에 나머지를 더하여 나누어지는 수가 되는지 확인합니다. ➡ $4 \times 7 = 28$, $28 + 2 = 30$

PLAY 교과서 개념 스토리 **자석에 붙는 물건 찾기**

말굽자석으로 모래 안에 흩어져 있는 물건 중에서 자석에 붙는 물건을 찾으려고 합니다. 나눗셈의 몫이 쓰인 붙임딱지를 붙여 보세요.

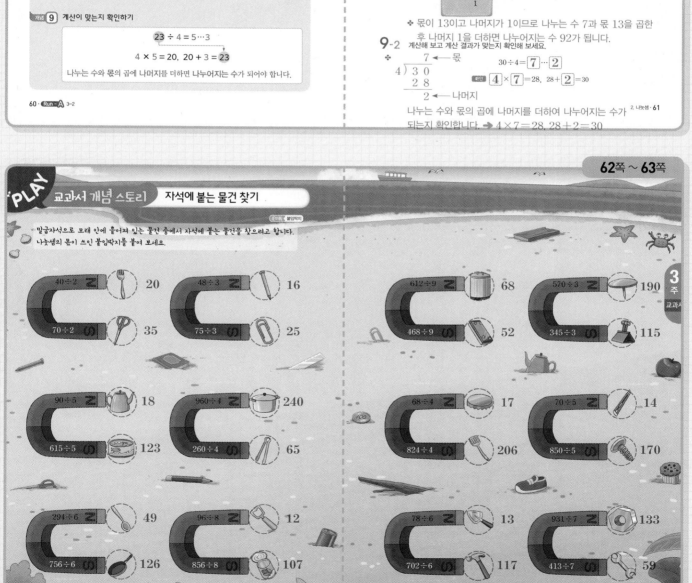

PLAY 교과서 개념 스토리 | 보물 상자 열기

본마무리 붙임딱지

해적들이 숨겨 놓은 보물 상자를 여러 개 발견했습니다. 나눗셈에 알맞은 몫과 나머지를 찾아 보물 상자를 열어 보세요.

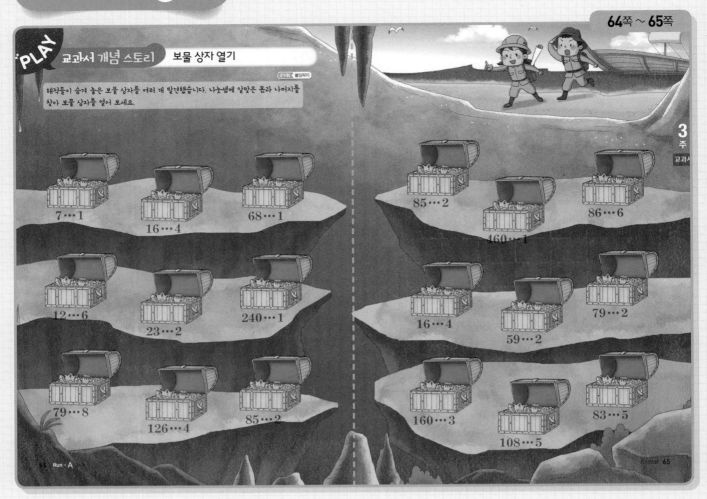

Run - A

65

② 단계 교과서 개념 다지기

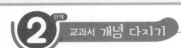

정답과 풀이 p.16

개념 1 (몇십) ÷ (몇)

01 ☐ 안에 알맞은 수를 써넣으세요.

(1) $4 \div 2 = \boxed{2}$ ➡ $40 \div 2 = \boxed{20}$

(2) $9 \div 3 = \boxed{3}$ ➡ $90 \div 3 = \boxed{30}$

✿ 나누는 수는 그대로이고 나누어지는 수가 10배가 되면 몫도 10배가 됩니다.

02 몫을 찾아 선으로 이어 보세요.

50÷5		15
30÷2		10
60÷3		20

✿ $50 \div 5 = 10$, $30 \div 2 = 15$, $60 \div 3 = 20$

03 큰 수를 작은 수로 나눈 몫을 빈칸에 써넣으세요.

4	60
15	

✿ $4 < 60$이므로 $60 \div 4 = 15$입니다.

04 사탕 70개를 한 학생에게 7개씩 똑같이 나누어 주려고 합니다. 몇 명에게 나누어 줄 수 있는지 식을 쓰고 답을 구해 보세요.

식  $70 \div 7 = 10$

답 10명

✿ (나누어 줄 수 있는 사람 수)
= (전체 사탕 수) ÷ (한 사람에게 나누어 주는 사탕 수)
= $70 \div 7 = 10$(명)

66 · Run - A 3-2

개념 2 나머지가 없는 (몇십몇) ÷ (몇)

05 빈 곳에 알맞은 수를 써넣으세요.

÷ ➡		
48	3	16
92	4	23

✿ $48 \div 3 = 16$, $92 \div 4 = 23$

06 크기를 비교하여 ○ 안에 >, =, <를 알맞게 써넣으세요.

(1) $28 \div 2 \bigcirc 15$　　　(2) $20 \bigcirc 75 \div 5$

✿ (1) $28 \div 2 = 14$ ➡ $14 < 15$
(2) $75 \div 5 = 15$ ➡ $20 > 15$

07 몫이 다른 하나를 찾아 기호를 써 보세요.

| ㉠ 36÷2 | ㉡ 96÷6 |
| ㉢ 48÷3 | ㉣ 64÷4 |

(㉠)

✿ ㉠ $36 \div 2 = 18$　㉡ $96 \div 6 = 16$
㉢ $48 \div 3 = 16$　㉣ $64 \div 4 = 16$
따라서 몫이 다른 하나는 ㉠입니다.

08 정사각형 네 변의 길이의 합은 64 cm입니다. 정사각형의 한 변의 길이는 몇 cm인지 ☐ 안에 알맞은 수를 써넣으세요.

$\boxed{16}$ cm ☐

✿ 정사각형은 네 변의 길이가 모두 같습니다.
(정사각형의 한 변의 길이) = (네 변의 길이의 합) ÷ 4
= $64 \div 4 = 16$ (cm)

2. 나눗셈 · 67

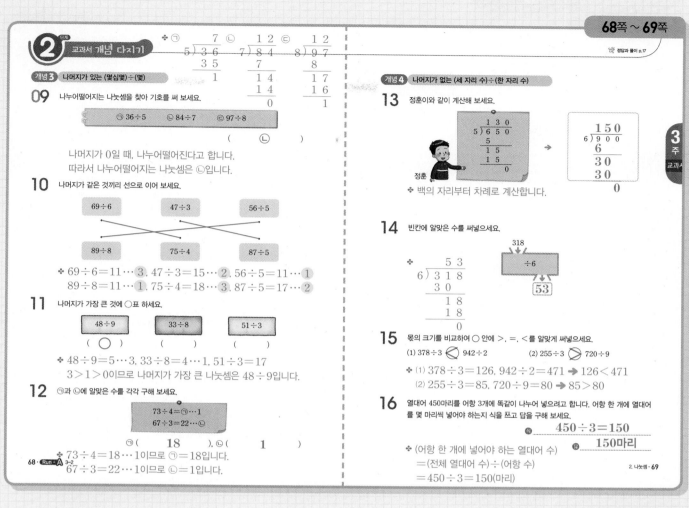

2단계 교과서 **개념 다지기**

정답과 풀이 p.17

개념3 나머지가 있는 (몇십몇)÷(몇)

09 나누어떨어지는 나눗셈을 찾아 기호를 써 보세요.

| ㉠ 36÷5 | ㉡ 84÷7 | ㉢ 97÷8 |

(**㉡**)

❖ 나머지가 0일 때, 나누어떨어진다고 합니다.
따라서 나누어떨어지는 나눗셈은 ㉡입니다.

10 나머지가 같은 것끼리 선으로 이어 보세요.

| 69÷6 | 47÷3 | 56÷5 |

| 89÷8 | 75÷4 | 87÷5 |

❖ 69÷6=11…**3**, 47÷3=15…**2**, 56÷5=11…**1**
89÷8=11…**1**, 75÷4=18…**3**, 87÷5=17…**2**

11 나머지가 가장 큰 것에 ○표 하세요.

| 48÷9 | 33÷8 | 51÷3 |
(○) ( ) ( )

❖ 48÷9=5…**3**, 33÷8=4…**1**, 51÷3=17
3>1>0이므로 나머지가 가장 큰 나눗셈은 48÷9입니다.

12 ㉠과 ㉡에 알맞은 수를 각각 구해 보세요.

73÷4=㉠…1
67÷3=22…㉡

㉠ (**18**), ㉡ (**1**)

❖ 73÷4=18…1이므로 ㉠=18입니다.
67÷3=22…1이므로 ㉡=1입니다.

68 · Run-A 3-2

개념4 나머지가 없는 (세 자리 수)÷(한 자리 수)

13 정훈이와 같이 계산해 보세요.

```
    1 3 0
  5)6 5 0
    5
    1 5
    1 5
      0
```
정훈

→
```
    1 5 0
  6)9 0 0
    6
    3 0
    3 0
      0
```

❖ 백의 자리부터 차례로 계산합니다.

14 빈칸에 알맞은 수를 써넣으세요.

```
    5 3
  6)3 1 8
    3 0
    1 8
    1 8
      0
```

318 → ÷6 → 53

15 몫의 크기를 비교하여 ○ 안에 >, =, <를 알맞게 써넣으세요.

(1) 378÷3 ⊘ 942÷2   (2) 255÷3 ⊗ 720÷9

❖ (1) 378÷3=126, 942÷2=471 ➡ 126<471
(2) 255÷3=85, 720÷9=80 ➡ 85>80

16 열대어 450마리를 어항 3개에 똑같이 나누어 넣으려고 합니다. 어항 한 개에 열대어를 몇 마리씩 넣어야 하는지 식을 쓰고 답을 구해 보세요.

식 **450÷3=150**
답 **150마리**

❖ (어항 한 개에 넣어야 하는 열대어 수)
=(전체 열대어 수)÷(어항 수)
=450÷3=150(마리)

2. 나눗셈 · 69

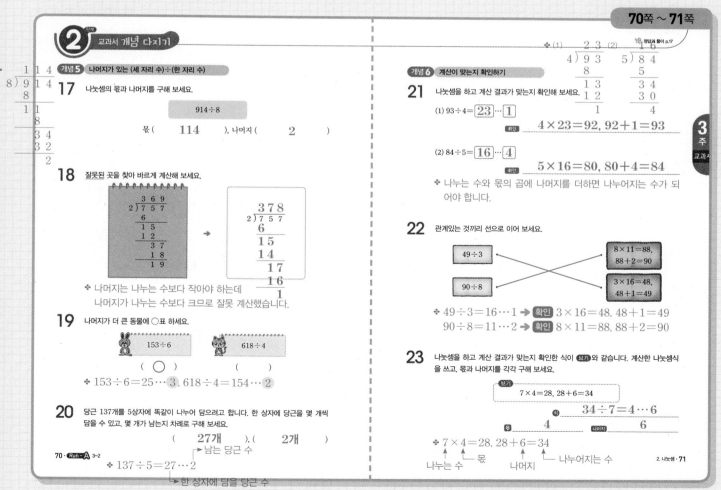

2단계 교과서 **개념 다지기**

❖
```
      1 1 4
  8)9 1 4
    8
    1 1
      8
      3 4
      3 2
        2
```

개념5 나머지가 있는 (세 자리 수)÷(한 자리 수)

17 나눗셈의 몫과 나머지를 구해 보세요.

914÷8

몫 (**114**), 나머지 (**2**)

18 잘못된 곳을 찾아 바르게 계산해 보세요.

```
    3 6 9
  2)7 5 7
    6
    1 5
    1 2
      3 7
      1 8
      1 9
```
→
```
    3 7 8
  2)7 5 7
    6
    1 5
    1 4
      1 7
      1 6
        1
```

❖ 나머지는 나누는 수보다 작아야 하는데
나머지가 나누는 수보다 크므로 잘못 계산했습니다.

19 나머지가 더 큰 동물에 ○표 하세요.

| 🐰 153÷6 | 🐱 618÷4 |
(○) ( )

❖ 153÷6=25…**3**, 618÷4=154…**2**

20 당근 137개를 5상자에 똑같이 나누어 담으려고 합니다. 한 상자에 당근을 몇 개씩 담을 수 있고, 몇 개가 남는지 차례로 구해 보세요.

(**27개**), (**2개**)

❖ 137÷5=27…2
└→ 한 상자에 담을 당근 수
└→ 남는 당근 수

70 · Run-A 3-2

❖ (1)
```
    2 3
  4)9 3
    8
    1 3
    1 2
      1
```
(2)
```
    1 6
  5)8 4
    5
    3 4
    3 0
      4
```

개념6 계산이 맞는지 확인하기

21 나눗셈을 하고 계산 결과가 맞는지 확인해 보세요.

(1) 93÷4= **23** … **1**
확인 4×23=92, 92+1=93

(2) 84÷5= **16** … **4**
확인 5×16=80, 80+4=84

❖ 나누는 수와 몫의 곱에 나머지를 더하면 나누어지는 수가 되어야 합니다.

22 관계있는 것끼리 선으로 이어 보세요.

| 49÷3 | | 8×11=88, 88+2=90 |

| 90÷8 | | 3×16=48, 48+1=49 |

❖ 49÷3=16…1 ➡ 확인 3×16=48, 48+1=49
90÷8=11…2 ➡ 확인 8×11=88, 88+2=90

23 나눗셈을 하고 계산 결과가 맞는지 확인한 식이 보기 와 같습니다. 계산한 나눗셈식을 쓰고, 몫과 나머지를 각각 구해 보세요.

보기
7×4=28, 28+6=34

식 **34÷7=4…6**
몫 **4** 나머지 **6**

❖ 7×4=28, 28+6=34
나누는 수 ↑ ↑몫 ↑나머지 ↑나누어지는 수

2. 나눗셈 · 71

정답과 풀이 · **17**

③ 교과서 실력 다지기

정답과 풀이 p.18

★ 나머지가 될 수 있는 수 구하기

1 어떤 수를 8로 나누었을 때 나머지가 될 수 없는 수에 ○표 하세요.

$$0 \quad 2 \quad 4 \quad 6 \quad (8)$$

개념 피드백
• 나눗셈의 몫과 나머지
19를 5로 나누면 몫은 3이고 4가 남습니다. 이때 4를 19÷5의 나머지라고 합니다.
$$19 \div 5 = 3 \cdots 4$$
나머지는 항상 나누는 수보다 작아야 합니다.

❖ 어떤 수를 8로 나누었을 때 나머지가 될 수 있는 수는 8보다 작은 수이므로 8은 나머지가 될 수 없습니다.

1-1 다음 나눗셈에서 나머지가 될 수 없는 수를 모두 골라 기호를 써 보세요.

$$\square \div 6$$

㉠ 1   ㉡ 3   ㉢ 6   ㉣ 7

(㉢, ㉣)

❖ 어떤 수를 6으로 나누었을 때 나머지가 될 수 있는 수는 0, 1, 2, 3, 4, 5이므로 나머지가 될 수 없는 수는 6, 7입니다.

1-2 어떤 수를 5로 나누었을 때 나머지가 될 수 있는 가장 큰 자연수를 구해 보세요.

(4)

❖ 어떤 수를 5로 나누었을 때 나머지가 될 수 있는 수는 5보다 작은 수이므로 나머지가 될 수 있는 가장 큰 자연수는 4입니다.

72 · Run–A 3-2

★ 어떤 수(나누어지는 수) 구하기

2 □ 안에 알맞은 수를 써넣으세요.

$$\boxed{83} \div 5 = 16 \cdots 3$$

개념 피드백
• 계산이 맞는지 확인하기
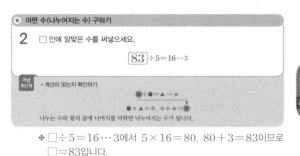
나누는 수와 몫의 곱에 나머지를 더하면 나누어지는 수가 됩니다.

❖ □÷5=16…3에서 5×16=80, 80+3=83이므로 □=83입니다.

2-1 어떤 수를 8로 나누었더니 몫이 10, 나머지가 5가 되었습니다. 어떤 수는 얼마인지 구해 보세요.

(85)

❖ (어떤 수)÷8=10…5에서 어떤 수를 구하려면 나누는 수와 몫을 곱한 후 나머지를 더합니다.
➡ 8×10=80, 80+5=85

2-2 □ 안에 들어갈 수 있는 수 중에서 가장 큰 자연수를 구해 보세요.

$$\boxed{\square \div 4 = 21 \cdots ♥}$$

(87)

❖ 4×21=84, 84+♥=□
나머지는 나누는 수보다 작아야 하므로 ♥가 될 수 있는 수 중에서 가장 큰 자연수는 3입니다.
따라서 □ 안에 들어갈 수 있는 수 중에서 가장 큰 자연수는 84+3=87입니다.

2. 나눗셈 · 73

---

③ 교과서 실력 다지기

정답과 풀이 p.18

★ 나누어떨어지게 하는 수 구하기

3 다음 나눗셈이 나누어떨어진다고 할 때, 1부터 9까지의 수 중에서 □ 안에 들어갈 수 있는 수를 모두 구해 보세요.

$$35 \div \square$$

답 1, 5, 7

개념 피드백
• 나머지가 0일 때, 나누어떨어진다고 합니다.

❖ 35÷①=35, 35÷⑤=7, 35÷⑦=5이므로 □ 안에 들어갈 수 있는 수는 1, 5, 7입니다.

3-1 2부터 9까지의 수 중에서 28을 나누어떨어지게 하는 수를 모두 구해 보세요.

(2, 4, 7)

❖ 28÷②=14, 28÷④=7, 28÷⑦=4이므로 28을 나누어떨어지게 하는 수는 2, 4, 7입니다.

3-2 다음 나눗셈이 나누어떨어진다고 할 때, 1부터 9까지의 수 중에서 □ 안에 들어갈 수 있는 수가 더 많은 것에 ○표 하세요.

$$32 \div \square \qquad 40 \div \square$$

( )   (○)

❖ · 32÷①=32, 32÷②=16, 32÷④=8,
32÷⑧=4 ➡ 1, 2, 4, 8 ➡ 4개
· 40÷①=40, 40÷②=20, 40÷④=10,
40÷⑤=8, 40÷⑧=5 ➡ 1, 2, 4, 5, 8 ➡ 5개

74 · Run–A 3-2

★ 나누어떨어질 때 나누어지는 수 구하기

4 다음 나눗셈이 나누어떨어진다고 할 때, 0부터 9까지의 수 중에서 ★에 알맞은 수를 모두 구해 보세요.

$$8★ \div 3$$

답 1, 4, 7

❖
```
      2 □
   3)8 ★
     6
     2 ★
     2 ★
       0
```
개념 피드백
• 나눗셈 ●÷▲=■에서 나머지가 0으로 나누어떨어질 때 ●=▲×■입니다.

2★÷3이 나누어떨어져야 합니다.
21÷3=7, 24÷3=8, 27÷3=9이므로 ★에 알맞은 수는 1, 4, 7입니다.

4-1 다음 나눗셈이 나누어떨어진다고 할 때, 0부터 9까지의 수 중에서 ●에 알맞은 수를 모두 구해 보세요.

$$5)9 ●$$

(0, 5)

❖
```
      1 ▲
   5)9 ●
     5
     4 ●
     4 ●
       0
```
4●÷5가 나누어떨어져야 합니다.
40÷5=8, 45÷5=9이므로 ●에 알맞은 수는 0, 5입니다.

4-2 다음 나눗셈이 나누어떨어진다고 할 때, 0부터 9까지의 수 중에서 ■에 알맞은 수는 모두 몇 개인지 구해 보세요.

$$6■ \div 4$$

(3개)

❖
```
      1 ●
   4)6 ■
     4
     2 ■
     2 ■
       0
```
2■÷4가 나누어떨어져야 합니다.
20÷4=5, 24÷4=6, 28÷4=7이므로 ■에 알맞은 수는 0, 4, 8입니다. ➡ 3개

2. 나눗셈 · 75

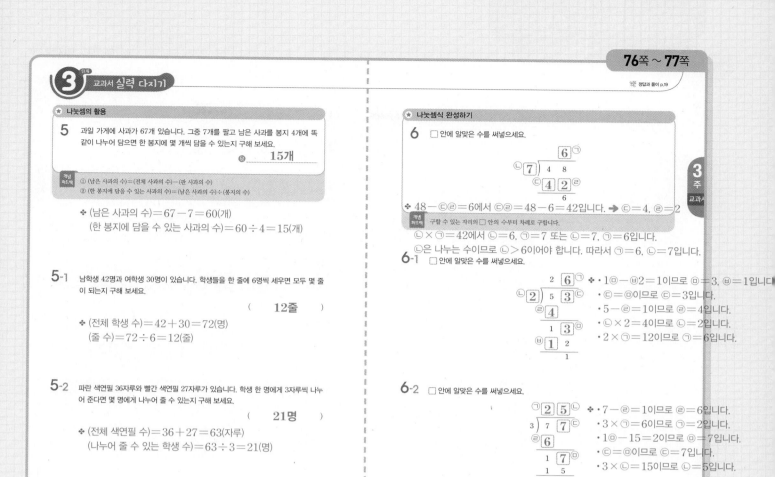

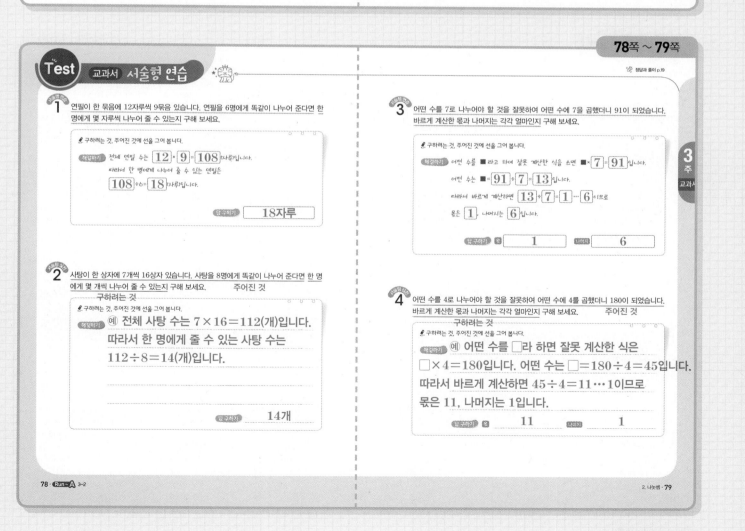

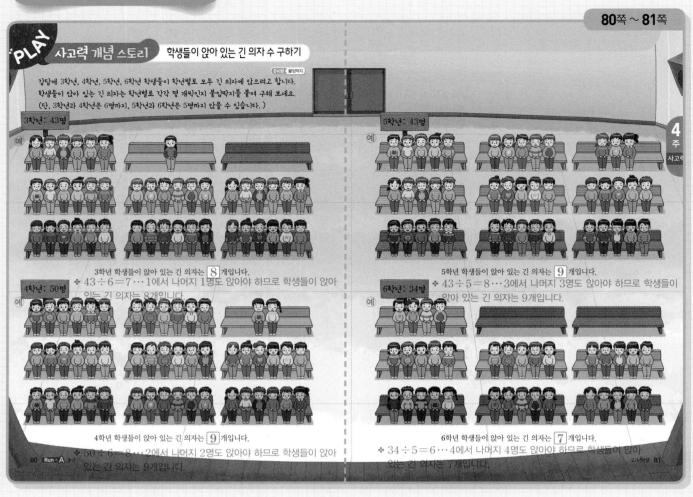

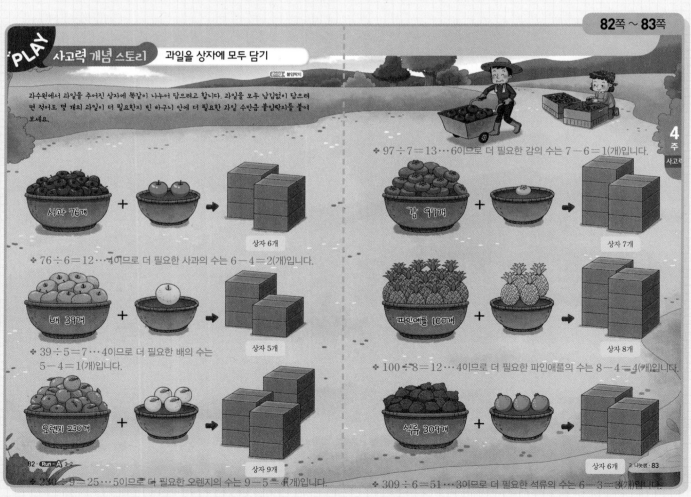

1단계 교과 사고력 잡기

정답과 풀이 p.21

1 그림과 같이 길이가 426 m인 도로의 한쪽에 6 m 간격으로 나무를 심으려고 합니다. 필요한 나무는 모두 몇 그루인지 구해 보세요. (단, 나무의 두께는 생각하지 않습니다.)

❶ 나무와 나무 사이의 간격은 몇 m일까요?
(**6 m**)

❷ 나무와 나무 사이의 간격은 몇 군데인지 구해 보세요.
(**71군데**)

✿ (나무와 나무 사이의 간격 수)
＝(나무를 심는 도로의 길이)÷(나무와 나무 사이 간격)
＝426÷6＝71(군데)

❸ 필요한 나무는 모두 몇 그루인지 구해 보세요.
(**72그루**)

✿ 도로의 처음에도 나무를 심어야 하므로 필요한 나무 수는
(나무와 나무 사이의 간격 수)＋1입니다.
➡ 71＋1＝72(그루)

84 · Run-Ⓐ 3-2

2 주연이와 수현이가 각각 가지고 있는 수 카드 3장을 한 번씩만 사용하여 몫이 가장 큰 (두 자리 수)÷(한 자리 수)를 만들었습니다. 몫이 더 큰 나눗셈식을 만든 사람을 구해 보세요.

주연  수현

❶ 알맞은 말에 ○표 하세요.

(두 자리 수)÷(한 자리 수)의 몫이 가장 크려면 두 자리 수는 만들 수 있는
가장 (⑩큰, 작은) 수, 한 자리 수는 가장 (큰 ,⑩작은) 수이어야 합니다.

❷ 주연이가 만든 나눗셈식을 계산해 보세요.
$65÷3＝21…2$

❸ 수현이가 만든 나눗셈식을 계산해 보세요.
$75÷2＝37…1$

❹ 몫이 더 큰 나눗셈식을 만든 사람의 이름을 써 보세요.
(**수현**)

✿ 주연이가 만든 나눗셈식의 몫은 21이고, 수현이가 만든 나눗셈식의 몫은 37이므로 몫이 더 큰 나눗셈식을 만든 사람은 수현이입니다.

2. 나눗셈 · 85

4주
사고력

1단계 교과 사고력 잡기

정답과 풀이 p.21

3 다음과 같이 가로가 75 cm, 세로가 60 cm인 직사각형 모양의 그림을 가로가 5 cm, 세로가 4 cm인 작은 직사각형 모양 조각으로 자르려고 합니다. 작은 직사각형 모양 조각 몇 장으로 자를 수 있는지 구해 보세요.

❶ 가로는 몇 장으로 자를 수 있는지 구해 보세요.
(**15장**)

✿ 75÷5＝15(장)

❷ 세로는 몇 장으로 자를 수 있는지 구해 보세요.
(**15장**)

✿ 60÷4＝15(장)

❸ 작은 직사각형 모양 조각 몇 장으로 자를 수 있는지 구해 보세요.
(**225장**)

✿ 15×15＝225(장)

86 · Run-Ⓐ 3-2

4 농장 마당에 강아지, 고양이, 닭이 놀고 있습니다. 다리 수를 세어 보니 모두 100개였고 닭은 30마리 있습니다. 강아지, 고양이, 닭은 모두 몇 마리인지 구해 보세요.

❶ 닭의 다리 수는 모두 몇 개인지 구해 보세요.
(**60개**)

✿ 닭 한 마리의 다리는 2개이므로 닭의 다리 수는
30×2＝60(개)입니다.

❷ 강아지와 고양이의 다리 수의 합을 구해 보세요.
(**40개**)

✿ (강아지와 고양이의 다리 수)＝(전체 다리 수)－(닭의 다리 수)
＝100－60＝40(개)

❸ 강아지와 고양이 수의 합을 구해 보세요.
(**10마리**)

✿ (강아지와 고양이 수의 합)＝(강아지와 고양이의 다리 수)÷4
＝40÷4＝10(마리)

❹ 강아지, 고양이, 닭은 모두 몇 마리인지 구해 보세요.
(**40마리**)

✿ (전체 동물의 수)＝(강아지와 고양이 수의 합)＋(닭의 수)
＝10＋30＝40(마리)

2. 나눗셈 · 87

4주
사고력

2 단계 교과 사고력 확장

정답과 풀이 p.22

1 같은 모양에 있는 큰 수를 작은 수로 나눈 몫을 구해 보세요.

❶

| 3 | 68 | 80 | 5 |
| 75 | 2 | 4 | 81 |

□ (**27**), △ (**17**)

○ (**40**), ⬠ (**15**)

❖ □ : 81÷3=27, △ : 68÷4=17, ○ : 80÷2=40,
⬠ : 75÷5=15

❷

| 9 | 522 | 310 | 207 |
| 9 | 324 | 6 | 5 |

□ (**36**), △ (**23**)

○ (**87**), ⬠ (**62**)

❖ □ : 324÷9=36, △ : 207÷9=23, ○ : 522÷6=87,
⬠ : 310÷5=62

2 조건이 맞는 칸에 색칠해 보세요.

❶ 몫이 20보다 큰 칸

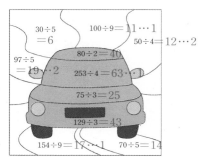

$30÷5=6$
$100÷9=11\cdots1$
$50÷4=12\cdots2$
$97÷5=19\cdots2$
$80÷2=40$
$253÷4=63\cdots1$
$75÷3=25$
$129÷3=43$
$154÷9=17\cdots1$
$70÷5=14$

❷ 몫이 200보다 작은 칸

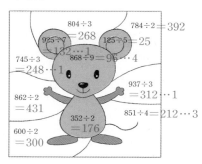

$804÷3=268$
$784÷2=392$
$925÷7=132\cdots1$
$125÷5=25$
$745÷3=248\cdots1$
$868÷9=96\cdots4$
$937÷3=312\cdots1$
$862÷2=431$
$851÷4=212\cdots3$
$352÷2=176$
$600÷2=300$

4 주 사고력

2 단계 교과 사고력 확장

정답과 풀이 p.22

3 각 동물이 타고 있는 차를 주차장에 주차시키려고 합니다. 사다리를 따라 내려가 도착한 주차장에 몫이 써 있는 자동차와 동물 붙임딱지를 붙여 보세요.

놀이학습 붙임딱지

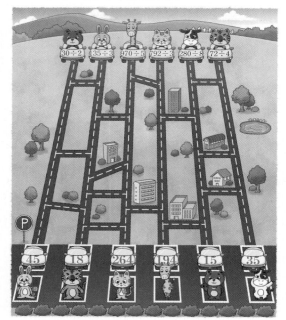

$30÷2$ $135÷3$ $970÷5$ $792÷3$ $280÷8$ $72÷4$

45 18 264 194 15 35

❖ 곰: 30÷2=15, 토끼: 135÷3=45, 기린: 970÷5=194,
고양이: 792÷3=264, 젖소: 280÷8=35, 호랑이: 72÷4=18

4 보기 와 같이 같은 모양에 있는 수를 곱하면 한가운데 수가 됩니다. 빈 곳에 알맞은 수를 써넣으세요.

보기

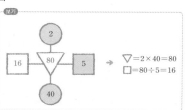

16 ▽80 5 ○40 △2

→ $▽=2×40=80$
　$□=80÷5=16$

❶

△3
20 ▽180 9
○60

❷

△25
50 ▽200 4
○8

❖ $▽=3×60=180$
　$□=180÷9=20$

❖ $▽=50×4=200$
　$○=200÷8=25$

❸

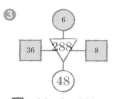

△6
36 ▽288 8
○48

❹

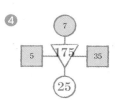

△7
5 ▽175 35
○25

❖ $▽=36×8=288$
　$○=288÷6=48$

❖ $▽=5×35=175$
　$○=175÷7=25$

4 주 사고력

3 단계 교과 사고력 완성

정답과 풀이 p.23

평가 영역 □개념 이해력 □개념 응용력 □창의력 ☑문제 해결력

1 게임기 안에 크기가 똑같은 공이 4개 들어 있습니다. 이 중에서 2개를 뽑아 한 번씩 사용하여 만들 수 있는 두 자리 수 중 6으로 나누어떨어지는 수는 모두 몇 개인지 구해 보세요.

① 공에 쓰여 있는 수를 한 번씩 사용하여 만들 수 있는 두 자리 수를 모두 구해 보세요.

십의 자리 숫자가 2인 두 자리 수: **2⓪**, **2④**, **2⑥**

십의 자리 숫자가 4인 두 자리 수: **4⓪**, **4②**, **4⑥**

십의 자리 숫자가 6인 두 자리 수: **6⓪**, **6②**, **6④**

② ① 에서 만든 수를 6으로 나누었을 때 나누어떨어지는 수를 모두 구해 보세요.
✧ 6으로 나누었을 때 나머지가 0인 수를 찾습니다.
→ $20÷6=3\cdots2$, $24÷6=4$,
$26÷6=4\cdots2$, $40÷6=6\cdots4$, (**24, 42, 60**)
$42÷6=7$, $46÷6=7\cdots4$, $60÷6=10$,
$62÷6=10\cdots2$, $64÷6=10\cdots4$

③ 만들 수 있는 두 자리 수 중 6으로 나누어떨어지는 수는 모두 몇 개인지 구해 보세요.
✧ 6으로 나누었을 때 나머지가 0인 수는 (**3개**)
24, 42, 60이므로 모두 3개입니다.

평가 영역 □개념 이해력 □개념 응용력 ☑창의력 □문제 해결력

2 숲속에 있는 동물의 다리 수가 다음과 같을 때 각 동물은 몇 마리인지 찾아 선으로 이어 보고, 가장 많은 동물을 써 보세요.

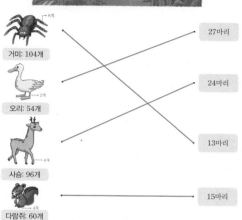

거미: 104개 — 27마리
오리: 54개 — 24마리
사슴: 96개 — 13마리
다람쥐: 60개 — 15마리

가장 많은 동물은 **오리** 입니다.
✧ 거미: $104÷8=13$(마리), 오리: $54÷2=27$(마리)
사슴: $96÷4=24$(마리), 다람쥐: $60÷4=15$(마리)

Test 종합평가   2. 나눗셈

맞은 개수

정답과 풀이 p.23

1 수 모형을 보고 □ 안에 알맞은 수를 써넣으세요.

$70÷\boxed{2}=\boxed{35}$

2 빈 곳에 나눗셈의 몫을 써넣으세요.

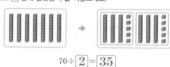

✧ $96÷8=12$, $12÷2=6$

3 몫의 크기를 비교하여 ○ 안에 >, =, <를 알맞게 써넣으세요.
(1) $88÷8$ ⬤ $90÷5$
(2) $42÷3$ ⬤ $78÷6$

✧ (1) $88÷8=11$, $90÷5=18$ ➔ $11<18$
(2) $42÷3=14$, $78÷6=13$ ➔ $14>13$

4 큰 수를 작은 수로 나눈 몫을 빈칸에 써넣으세요.

3	84
28	

✧ $84>3$이므로 $84÷3=28$입니다.

5 잘못된 곳을 찾아 바르게 계산해 보세요.

$$3)\overline{56} \qquad 3)\overline{56}$$

✧ 십의 자리를 계산하고 남은 수를 내려 쓰고 계산하지 않아 잘못 계산했습니다.

6 나머지가 같은 것끼리 선으로 이어 보세요.

$79÷4$ — $93÷7$
$257÷2$ — $75÷6$
$58÷4$ — $609÷8$

✧ $79÷4=19\cdots3$, $257÷2=128\cdots1$, $58÷4=14\cdots2$
$93÷7=13\cdots2$, $75÷6=12\cdots3$, $609÷8=76\cdots1$

7 혜영이는 일주일 동안 전체 175쪽인 동화책 한 권을 매일 같은 쪽수씩 읽었습니다. 하루에 몇 쪽씩 읽었는지 식을 쓰고 답을 구해 보세요.

식 ___ $175÷7=25$

답 ___ 25쪽

✧ 일주일은 7일입니다.
(하루에 읽은 쪽수)=$175÷7=25$(쪽)

정답과 풀이 p.24

8 7로 나누었을 때 나누어떨어지는 수를 찾아 모두 ○표 하세요.

| 92 | (84) | 72 | (98) |

✿ $92 \div 7 = 13 \cdots 1$, $84 \div 7 = 12$, $72 \div 7 = 10 \cdots 2$, $98 \div 7 = 14$

9 계산을 하고, 계산 결과가 맞는지 확인해 보세요.

55÷3

몫 **18**   나머지 **1**

확인 $3 \times 18 = 54$, $54 + 1 = 55$

✿ $55 \div 3 = 18 \cdots 1$ 확인 $3 \times 18 = 54$, $54 + 1 = 55$

10 어떤 수를 5로 나누었을 때 나머지가 될 수 없는 수를 찾아 기호를 써 보세요.

| ㉠ 2 | ㉡ 3 | ㉢ 4 | ㉣ 5 |

(㉣)

✿ 나머지는 나누는 수보다 작아야 하므로 나머지가 될 수 있는 수는 나누는 수인 5보다 작은 수입니다.

11 나머지가 가장 작은 것을 찾아 기호를 써 보세요.

| ㉠ $63 \div 6$ | ㉡ $745 \div 4$ |
| ㉢ $152 \div 3$ | ㉣ $653 \div 7$ |

(㉡)

✿ ㉠ $63 \div 6 = 10 \cdots 3$ ㉡ $745 \div 4 = 186 \cdots 1$
㉢ $152 \div 3 = 50 \cdots 2$ ㉣ $653 \div 7 = 93 \cdots 2$

12 42를 1부터 9까지의 수로 나누었을 때 나누어떨어지게 하는 수를 모두 써 보세요.

(1, 2, 3, 6, 7)

✿ $42 \div 1 = 42$, $42 \div 2 = 21$, $42 \div 3 = 14$,
$42 \div 6 = 7$, $42 \div 7 = 6$

13 밀크 초콜릿 288개와 다크 초콜릿 324개를 한 봉지에 9개씩 담으려고 합니다. 봉지는 몇 개가 필요한지 구해 보세요.

(68개)

✿ (전체 초콜릿 수)=$288 + 324 = 612$(개)
(필요한 봉지 수)=$612 \div 9 = 68$(개)

14 귤이 89개 있습니다. 귤을 한 바구니에 6개씩 모두 담는다면 바구니는 적어도 몇 개가 필요한지 구해 보세요.

(15개)

✿ $89 \div 6 = 14 \cdots 5$에서 남는 귤 5개도 담아야 하므로 바구니는 적어도 $14 + 1 = 15$(개) 필요합니다.

15 다음 나눗셈의 나머지가 2일 때 0부터 9까지의 수 중에서 □ 안에 알맞은 수를 모두 구해 보세요.

5)7□

(2, 7)

✿ 나머지가 2이므로 (7□ − 2)는 5로 나누어떨어집니다.
7□인 수 중 5로 나누어떨어지는 수는 70, 75이므로 구하는 수는 $70 + 2 = 72$, $75 + 2 = 77$입니다.
따라서 □ 안에 알맞은 수는 2, 7입니다.

정답과 풀이 p.24

16 어떤 수를 9로 나누었더니 몫이 15, 나머지가 6이 되었습니다. 어떤 수는 얼마인지 구해 보세요.

(141)

✿ 어떤 수를 □라 하여 나눗셈식을 쓰면 □÷9=15⋯6입니다.
따라서 어떤 수는 $9 \times 15 = 135$, $135 + 6 = 141$입니다.

17 4장의 수 카드 중에서 3장을 뽑아 한 번씩 모두 사용하여 가장 작은 세 자리 수를 만들고, 그 수를 남은 수 카드의 수로 나누어 몫을 구해 보세요.

| 7 | 9 | 2 | 3 |

(26)

✿ 3장의 수 카드로 만들 수 있는 가장 작은 세 자리 수는 237입니다.
237을 남은 수 카드의 수 9로 나누면 $237 \div 9 = 26 \cdots 3$이므로 몫은 26입니다.

18 가로가 84 cm, 세로가 125 cm인 직사각형 모양의 종이를 가로가 4 cm, 세로가 5 cm인 작은 직사각형으로 자르려고 합니다. 작은 직사각형은 모두 몇 장이 생기는지 구해 보세요.

(525장)

✿ 가로: $84 \div 4 = 21$(장), 세로: $125 \div 5 = 25$(장)
➡ $21 \times 25 = 525$(장)

특강 창의·융합 사고력

정답과 풀이 p.24

1 3학년 학생 84명이 체육대회를 하고 있습니다. 물음에 답하세요.

(1) 3학년 학생들이 4줄로 똑같이 나누어 달리기를 하려고 합니다. 한 줄에 몇 명씩 서게 되는지 구해 보세요.

(21명)

✿ $84 \div 4 = 21$(명)

(2) 3학년 학생들이 2모둠으로 똑같이 나누어 콩 주머니 던지기를 하려고 합니다. 한 모둠을 몇 명씩으로 해야 하는지 구해 보세요.

(42명)

✿ $84 \div 2 = 42$(명)

GO! 매쓰
GO!

수학 3-2

정답과 풀이

Jump

GO!

유형 사고력

Run

GO!

교과서 사고력

Start

GO!

교과서 개념